Avanti con l'italiano

Avanti con l'italiano

A COMMUNICATIVE COURSE

Stefano Morel Supervisor, Foreign Languages
East Islip, N.Y., School District

AMSCO SCHOOL PUBLICATIONS, INC.
315 Hudson Street / New York, N.Y. 10013

Dedico questa opera
— testamento di amore
per l'Italia e la sua lingua —
ai miei figli
e a chi l'ha ispirata.

Illustrations by Don Sibley

ISBN 0-87720-598-1

Preface

Avanti con l'italiano, A Communicative Course, is a basal text that aims to help beginning students communicate in Italian and acquire a knowledge of and appreciation for the culture of Italy.

Organized into eight chapters and twenty-four lessons, the book is designed to teach all four skills—listening, speaking, reading, and writing—as an integral, functional process. The topics introduced in each chapter reflect practical aspects of everyday life. Vocabulary and structure are presented through communicative expressions and situations. In sum, students will be able to understand, speak, read, and write all the materials from the very first chapter.

Lingua viva

The first lesson of each chapter introduces the topical vocabulary through pictures and situations in order to minimize the use of English. Students are encouraged, with the teacher's help, to practice sounds and intonation of Italian from the beginning, so that they can say and spell correctly even words that they have not seen before. Through constant repetition of simple questions and answers, students practice the new vocabulary both orally and in writing.

Struttura e pratica

The second lesson of each chapter presents points of grammar in easy, logical sequences—one step at a time—in order to keep memorization to a minimum. Structure is learned through spoken contexts. Generalizations are summarized in concise NOTA E RAMMENTA boxes only after students have practiced and assimilated the constructions explained in NOTA E RAMMENTA.

The constant repetition of simple exchanges containing the new vocabulary and structures helps students to practice the materials both orally and in writing. To develop fluency, communicative exercises called PARLA ITALIANO encourage students to express in Italian what they have learned.

Intermezzo

The third lesson of each chapter features cultural material in both dialog and narrative contexts. Throughout the book, culture is presented explicitly as well as implicitly. Dialogs, narratives, exercises, and authentic drawings make students aware of what Italy, Italians, and Italian life are all about. The LETTURA CULTURALE, therefore, offers much cultural and ethnic information of value to learners.

Each third lesson of the chapter includes RIPASSO, which recapitulates all the new words, expressions, and structural elements in the chapter. This review is followed by additional practice.

At the end of every other chapter, the third lesson also includes CONTROLLA DELLA LINGUA, which serves as a language checkpoint, reviewing and practicing all communicative expressions learned in the preceding two chapters. These materials also provide opportunities for self-testing, through which students can check how well they can speak Italian in many different situations.

AVANTI CON L'ITALIANO has a companion workbook, QUADERNO DI ESERCIZI, which features additional writing practice as well as stimulating games and puzzles to supplement the textbook exercises.

The TEACHER'S MANUAL AND KEY, available separately from the publisher, provides suggested procedures and teaching techniques for all elements in the book, additional material for use at the teacher's option, teacher dictation for listening comprehension, quizzes and unit tests, and a complete key for all practice and testing materials in the text and workbook.

I wish to thank my colleagues Nunzio Cazzetta, Foreign Language Supervisor, Smithtown High School West, Smithtown, N.Y.; Frank Cicero, Foreign Language Supervisor, Guilderland High School, Guilderland, N.Y.; Walter Kleinmann, Coordinator of Foreign Languages, Sewanhaka School District, Elmont, N.Y.; Elvira Morse, Foreign Language Chairperson, H. Frank Carey Junior/Senior High School, Franklin Square, N.Y.; Valeria Punturo, teacher of Italian, Candlewood Junior High School, Dix Hills, N.Y.; Rosanne Pulvirenti, teacher of Italian, Smithtown High School West, Smithtown, N.Y.; and the teachers of Italian in my own Foreign Language Department in the East Islip School District—Dolores Dricks, Emily Gerde, and Linda Superina—for their professional help and advice in preparing this work. Special thanks are due Therese Pirz, Librarian, East Islip High School, and Maria Maresca, friend, who have patiently proofread the manuscript. I cannot forget the students in my classes of Italian at East Islip High School, who have tested the material contained in this book.

S. M.

Contents

Capitolo 1

LEZIONE I

1. Il tuo nome italiano (Your Italian name)

On the first day of school, you meet new and old friends in your Italian class. Greet them in Italian with a "Good morning" and introduce yourself by saying "I am ...." Pick your Italian name from the list below. If you do not find your name, ask your teacher to give you one.

Buon giorno! Io sono . . .

Alberto	Francesco	Mario	Ada	Fiorenza	Marina
Aldo	Giacomo	Mauro	Adriana	Franca	Marisa
Alessandro	Giancarlo	Michele	Agnese	Gabriella	Margherita
Alfredo	Gianni	Paolo	Anna	Gianna	Mirella
Andrea	Gianpaolo	Piero	Antonia	Gina	Ornella
Antonio	Gianpiero	Pietro	Barbara	Giovanna	Paola
Carlo	Giorgio	Raffaele	Beatrice	Giulia	Pia
Claudio	Giovanni	Riccardo	Bianca	Giuliana	Pina
Corrado	Giuliano	Roberto	Carla	Giuseppina	Rina
Davide	Giulio	Rodolfo	Carolina	Grazia	Rita
Dante	Giuseppe	Salvatore	Caterina	Ida	Roberta
Dino	Gugliemo	Sandro	Cecilia	Irene	Rosa
Enrico	Guido	Sergio	Clara	Laura	Sara
Enzo	Lorenzo	Stefano	Claudia	Lidia	Silvia
Ernesto	Luca	Tommaso	Cristina	Liliana	Sofia
Eugenio	Luciano	Ugo	Daria	Lina	Susanna
Fabrizio	Luigi	Umberto	Diana	Lucia	Teresa
Felice	Marcello	Vincenzo	Elena	Luciana	Tina
Filippo	Marco	Vittorio	Elisabetta	Luisa	Veronica
Franco			Emilia	Marcella	Viviana
			Emma	Maria	

Attività

A. Getting acquainted. Your teacher will give you a 3 × 5 card and a pin. On the card, write in large letters:

Ciao. Io sono _____.

(your name)

Pin the card on and wear it in class and (why not?) wherever you are in your school. Move around the classroom and introduce yourself to your classmates with the expression **Ciao. Io sono . . .,** while you shake hands.

NOTA E RAMMENTA (Note and remember)

The word **ciao** has become an international greeting. It means *hi!* and *good-bye.* It is frequently used among friends, especially friends of the same age.

---

2. Saluti (Greetings)

PROFESSORE: —**Buon giorno, ragazzi.**—   STUDENTI: —**Buon giorno, professore.**—

PROFESSORESSA: —**Buon giorno,** **ragazzi.**—

STUDENTI: —**Buon giorno,** **professoressa.**—

—Buon giorno, signorina.—
—Buon giorno, Signor
   Bonini.—

—Buon giorno, Signora Sica.—
—Buon giorno, Marcello.—

—Ciao, Pina.—

—Arrivederci, ragazzi.—

IN ITALIA

Italians customarily shake hands more frequently than Americans. In general, adults shake hands every time they meet and every time they part.

Young people frequently use **ciao** to say *hello* and *good-bye,* especially with each other. In more formal situations, **buon giorno** and **arrivederci** are more suitable.

Attività

B. Say **buon giorno** and **ciao** to your classmates, one by one:

ESEMPIO: **Buon giorno, Carla. Ciao.**

C. What is your greeting when you meet on the street

1. your teacher?   3. Miss Roberti?   5. Mr. Gaetani?
2. your friend?   4. Mrs. Anello?

D. What do you say when you leave

1. your classmate?   2. your best friend?   3. your teacher?

CLASSROOM EXPRESSIONS

Ascolta! / Ascoltate!	*Listen!*
Apri / Aprite il libro!	*Open the book!*
a pagina. . . .	*on page. . . .*
Chiudi / Chiudete il libro!	*Close the book!*
Esempio / Esempi	*Example / Examples*
Imitate l'esempio!	*Imitate the example!*
Leggi! / Leggete!	*Read!*
Rispondi! Rispondete!	*Respond! Answer!*
Ripeti! / Ripetete!	*Repeat!*
Ad alta voce!	*Loud!*
Tutti insieme!	*All together!*
Di nuovo!	*Again!*
Scrivi! / Scrivete!	*Write!*
Cosa vuol dire?	*What does it mean?*
Come si dice . . . ?	*How do you say . . . ?*
Come si scrive . . . ?	*How do you write . . . ?*

3. L'appello (The roll call)

Every day, your teacher has to call the roll to find out who is present and who is absent:

PROFESSORESSA:	—**Toni Pennisi.**—
TONI:	—**Presente.**—
PROFESSORESSA:	—**Veronica Giudice.**—
VERONICA:	—**Presente.**—
PROFESSORESSA:	—**Giulia Micheli.**
	. . . .
PROFESSORESSA:	—**Assente.**—
PROFESSORESSA:	—**Gino Olivieri.**—
GINO:	—**Presente.**—

And so on.

4. Le vocali (The vowels)

There are five vowels and five vowel sounds in Italian. Each vowel is pronounced separately. Unlike English vowels, Italian vowels have only one sound each:

> **a** is pronounced like *a* in *father.*
> Examples: **alta, bassa, ragazza**

> **e** is pronounced like *e* in *men.*
> Examples: **bella, bene, e, Elena, essere**

i is pronounced like *i* in *machine.*
    Examples: il, italiano, Silvia

o is pronounced like *o* in *for.*
    Examples: come, lo, molto, non, o, sono

u is pronounced like *u* in *blue.*
    Examples: brutto, tu, una, uno

Attività

E.   Pronounce all words that accompany each vowel above after your teacher. The sounds of the consonants are the same as in English.

5. L'alfabeto (The alphabet)

Knowing the letters' names will help you spell Italian words. Here is the list of all the letters and their Italian names. Your teacher will help you pronounce them:

LETTERS			LETTERS		
MAIUSCOLE	MINUSCOLE		MAIUSCOLE	MINUSCOLE	
A	a	a	N	n	enne
B	b	bi	O	o	o
C	c	ci	P	p	pi
D	d	di	Q	q	qu
E	e	e	R	r	erre
F	f	effe	S	s	esse
G	g	gi	T	t	ti
H	h	acca	U	u	u
I	i	i	V	v	vu
L	l	elle	Z	z	zeta
M	m	emme			

Learn the alphabet by heart.

How many letters are there in the Italian alphabet?

Which letters sound exactly as in English?

What do the words **maiuscole** and **minuscole** mean?

IN ITALIA

SIGLE AUTOMOBILISTICHE

Agrigento	**AG**	Forlì	**FO**	Pordenone	**PN**
Alessandria	**AL**	Frosinone	**FR**	Potenza	**PZ**
Ancona	**AN**	Genova	**GE**	Ragusa	**RG**
Aosta	**AO**	Gorizia	**GO**	Ravenna	**RA**
Aquila	**AQ**	Grosseto	**GR**	Reggio Calabria	**RC**
Arezzo	**AR**	Imperia	**IM**	Reggio	**RE**
Ascoli Piceno	**AP**	Isernia	**IS**	Rieti	**RI**
Asti	**AT**	Latina	**LT**	Roma	**ROMA**
Avellino	**AV**	Lecce	**LE**	Rovigo	**RO**
Bari	**BA**	Livorno	**LI**	Salerno	**SA**
Belluno	**BL**	Lucca	**LU**	Sassari	**SS**
Benevento	**BN**	Macerata	**MC**	Savona	**SV**
Bergamo	**BG**	Mantova	**MN**	Siena	**SI**
Bologna	**BO**	Massa	**MS**	Siracusa	**SR**
Bolzano	**BZ**	Matera	**MT**	Sondrio	**SO**
Brescia	**BS**	Messina	**ME**	Spezia	**SP**
Brindisi	**BR**	Milano	**MI**	Taranto	**TA**
Cagliari	**CA**	Modena	**MO**	Teramo	**TE**
Caltanisetta	**CL**	Napoli	**NA**	Terni	**TR**
Campobasso	**CB**	Novara	**NO**	Torino	**TO**
Caserta	**CE**	Nuoro	**NU**	Trapani	**TP**
Catania	**CT**	Padova	**PD**	Trento	**TN**
Catanzaro	**CZ**	Palermo	**PA**	Treviso	**TV**
Chieti	**CH**	Parma	**PR**	Trieste	**TS**
Como	**CO**	Pavia	**PV**	Udine	**UD**
Cosenza	**CS**	Perugia	**PG**	Varese	**VA**
Cremona	**CR**	Pesaro	**PS**	Venezia	**VE**
Cuneo	**CN**	Pescara	**PE**	Vercelli	**VC**
Enna	**EN**	Piacenza	**PC**	Verona	**VR**
Ferrara	**FE**	Pisa	**PI**	Vicenza	**VI**
Firenze	**FI**	Pistoia	**PT**	Viterbo	**VT**
Foggia	**FG**				

In Italy, the automobile plates carry the abbreviation (**sigla**) of the city from which they come, followed by a number.

Attività

F. **Pratica l'alfabeto.** Your teacher will say the name of a city. Consult the list above and pronounce the letters of its abbreviation:

ESEMPIO: Your teacher says: **Verona.**
You say: **V**[vu]**R**[erre]

STRUTTURA E PRATICA

1. Cosa vuol dire?

la ragazza   il ragazzo   La ragazza è (*is*) alta.
una ragazza   un ragazzo   Il ragazzo è basso.

Il ragazzo è simpatico.
Non è brutto.

La ragazza è bella.
Non è brutta.

NOTA E RAMMENTA

Italian nouns are either masculine or feminine.

A singular noun that ends in **-o** is usually masculine:

il ragazzo   (*the boy*)
il giorno   (*the day*)

A singular noun that ends in **-a** is usually feminine:

la ragazza   (*the girl*)
la pagina   (*the page*)

---

2. Vignette (Word sketches)

Franco è un ragazzo.
È un ragazzo americano.
Il ragazzo è simpatico.
Il ragazzo non è brutto.
Il ragazzo è alto, non è
   basso.

Silvia è una ragazza.
È una ragazza americana.
La ragazza è bella.
La ragazza non è brutta.
La ragazza è alta, non è
   bassa.

Avete capito? Rispondete: *Avete capito? Rispondete:*

1. È un ragazzo Franco?   1. È una ragazza Silvia?
2. È italiano Franco?   2. È americana Silvia?
3. È simpatico il ragazzo?   3. È bella la ragazza?
4. È alto il ragazzo?   4. È bassa la ragazza?
5. Chi è Franco?   5. Chi è Silvia?
6. Com'è il ragazzo?   6. Com'è la ragazza?

NOTA E RAMMENTA

1. In Italian, NEGATION is expressed by the word **non** before the verb.

2. **Chi?** (*who?*) and **Come?** (*how?*) are common question words.

3. The final vowel is usually dropped and replaced by an apostrophe before a word beginning with a vowel:

   come + è = com'è

Attività

A. Someone makes several statements, but you do not understand them completely. Ask questions substituting **chi** or **come** for the bold word:

ESEMPI: **Franco** è simpatico.
Chi è simpatico?

Silvia è **bella**.
Com'è Silvia?

1. **Silvia** è bella.   4. Maria è **italiana**.
2. Franco è **alto**.   5. Il ragazzo è **basso**.
3. **La ragazza** è americana.   6. **Teresa** è alta.

B. Complete each sentence with the appropriate word:
1. Maria non è _____; è bella.
2. Carlo non è _____; è italiano.
3. Grazia è una _____.
4. _____ è un ragazzo.

5. Paolo è un ragazzo _____.
6. Silvia è una ragazza _____.
7. Maria è alta; non è _____.

C. Say **sì** (*yes*) if the sentence describes the picture. Say **no** (*no*) if the sentence does not match the picture:

1. È una ragazza.

3. Il ragazzo è alto.

2. È un ragazzo.

4. La ragazza non è alta.

D. Answer each question with a complete sentence:

1. Silvia è una ragazza o un ragazzo?
2. Paolo è un ragazzo o una ragazza?
3. Maria è alta o bassa?
4. Marisa è bella o brutta?
5. La ragazza è italiana o americana?
6. Il ragazzo è americano o italiano?

NOTA E RAMMENTA

o = *or*

E. Parla italiano. Describe some of your friends by choosing words from the following list:

bello / bella   alto / alta
americano / americana   basso / bassa
italiano / italiana   simpatico / simpatica
ragazzo / ragazza   brutto / brutta

3. Grammatica: Il verbo *essere* (The verb *to be*)
Identifying yourself and others

1. Frasi modello

Ripetete:

Gianni è un ragazzo.
Gianni è un ragazzo simpatico.

Silvia è una ragazza.
Silvia è una ragazza bella.

Rispondete:

Chi è il ragazzo?   È italiana Maria?
È un ragazzo Gianni?   È simpatico il ragazzo?

Chi è Gianni?
È simpatico Gianni?
Com'è Gianni?
È una ragazza Silvia?
Chi è Silvia?
È bella Silvia?
È americano Carlo?

È brutta la ragazza?
È una ragazza Gina?
È bella Elena?
Com'è Elena?
È americana Marisa?
È italiana la ragazza?

2. Frasi modello

Ripetete:

Tu sei americano.
Tu sei italiano.

Tu sei un ragazzo.
Tu sei una ragazza.

Imitate l'esempio:

ESEMPIO: **Giorgio è simpatico.**
Anche tu sei simpatico. (*You too are nice.*)

Tommaso è alto.
Tommaso è un ragazzo.
Tommaso è americano.

Silvia è bella.
Silvia è italiana.
Silvia è alta.

3. Frasi modello

Ripetete:

Io sono Marco.
Io sono un ragazzo.

Io sono Luisa.
Io sono una ragazza.

Rispondete:

Sei Marco?
Sei un ragazzo?
Sei americano?
Sei italiano?

Sei Luisa?
Sei una ragazza?
Sei bella?
Sei brutta?
Sei americana?
Sei italiana?

NOTA E RAMMENTA

Every sentence has a subject. Here are some subjects:

Paolo   **Silvia**   **io**   **tu**
il ragazzo   **la ragazza**

Read the following sentences:

> Silvia **è** una ragazza.
> Paolo **è** un ragazzo.
> Io **sono** americano.
> Anche tu **sei** americano.

The bold word in each sentence is the verb. When the subject of the sentence changes **(Silvia, Paolo, io, tu)**, the verb also changes. What is the verb form with **Silvia?** with **Paolo?** with **io?** with **tu?**

We have now learned our first important rule in Italian. The Italian verb has three singular forms:

io **sono**	Silvia **è**
tu **sei**	Paolo **è**

Attività

F. Complete each sentence with the missing verb:

1. Io _____ Tommaso.
2. Maria _____ bella.
3. _____ italiano?

4. Io non _____ brutta; _____ bella.
5. Carlo _____ americano.
6. La ragazza _____ alta.
7. Tu _____ americano?
8. Chi _____ il ragazzo?
9. Paolo _____ un ragazzo?
10. Chi _____ tu?
11. Io *sono* Elena.
12. Teresa _____ una ragazza alta.
13. Tu _____ italiana; io _____ americana.
14. Com'_____ Roberto?
15. Io non _____ basso; _____ alto.
16. La ragazza _____ italiana.
17. Tu _____ bella; non _____ brutta.
18. Chi _____ Paolo?

G. Form sentences from the words given:

    ESEMPIO: Tommaso / essere / un ragazzo
          Tommaso è un ragazzo.

1. Maria / essere / bella
2. la ragazza / essere / italiana
3. Paolo / essere / basso; non / essere / alto
4. io / essere / simpatico
5. io / essere / alta
6. tu / non / essere / brutto
7. tu / essere / Teresa
8. tu / essere / simpatica
9. io / essere / Gino

H. Parla italiano. As students sit in a circle, student A starts by asking student B on his/her right: **Chi sei?** Student B answers. Student A repeats. Student B asks student C **Chi sei?** And so on.

    ESEMPIO: Student A: **Chi sei?**
               Student B: **Io sono Grazia.**
               Student A: **Tu sei Grazia. Io sono Carlo.**

               Student B: **Chi sei?**
               Student C: **Io sono Cristina.**
               Student B: **Tu sei Cristina. Io sono Grazia.**

4. Grammatica: Pronomi personali *lui, lei*

Frasi modello

Ripetete:

he Lui è Gianni.
she Lei è Marisa.
  Gianni è un ragazzo. Lui è un ragazzo.
  Marisa è una ragazza. Lei è una ragazza.

NOTA E RAMMENTA

Gianni   Marisa
lui   lei

Which word can replace **Gianni?** Which word can replace
Marisa? Gianni is a proper name. **Marisa** is a proper name. A
proper name is a noun. A word that replaces a noun is called
a pronoun. What two pronouns have we just learned? Which
pronoun replaces the name of a girl? Which pronoun replaces
the name of a boy?

  lui is a masculine subject pronoun.
  lei is a feminine subject pronoun.

  Gianni è simpatico. *Lui* è simpatico.
  Marisa è alta. *Lei* è alta.

Rispondete:

ESEMPIO: **Lui è Gianni? Sì, lui è Gianni.**
No, lui non è Gianni.

Lui è un ragazzo?   **Lei è americana?**
Lei è Marisa?   **Lui è simpatico?**
Lei è una ragazza?   **Lei è bella?**
Lui è americano?

Attività

I. **Lui** or **Lei?**

1. _____ è Gianni.   5. _____ è simpatico.
2. _____ è Marisa.   6. _____ è italiana.
3. _____ è una ragazza.   7. _____ è alto, non basso.
4. _____ è un ragazzo.   8. _____ è alta, non bassa.

NOTA E RAMMENTA

Asking Questions in Italian

1. We have already learned that questions may be introduced in Italian by the words **chi** (*who*) or **come** (*how*):

    Chi è Franco?
    Com'è la ragazza?

2. Questions that may be answered **Sì** (*yes*) or **No** (*no*) in Italian are usually in the same word order as a statement, with a question mark (when writing) or rising intonation (when speaking) at the end of the question.

    ESEMPI: (statement) **Gianni è un ragazzo.**
    (question) **Gianni è un ragazzo?**
    (answer) **Sì, Gianni è un ragazzo.**
    No, Gianni non è un ragazzo.

3. A question may also be formed by putting the subject at the end:

    È un ragazzo *Gianni*? È simpatico *lui*?

Attività

J. Parla italiano. Change the following statements to questions:

1. Lui è Gianni.
2. Silvia è una ragazza.
3. Gianni è un ragazzo.

4. Silvia è italiana.
5. Gianni è simpatico.
6. Il ragazzo è alto.

5. Benvenuto in Italia! (Welcome to Italy!)

—Sei Gianni Roberti?—
—No, non sono Gianni Roberti.—

—Sei Gianni Roberti?—
—No, sono Giorgio Caselli.—

—Chi sei?—
—Carlo Valsecchi.—
—Oh...—

—Sei Gianni
Roberti?—
—Sì, sono Gianni
Roberti.—

—Benvenuto in
Italia.—
—Grazie.—

Attività

K. Introduce yourself:

ESEMPIO: **Buon giorno. Io sono Mario Catalani.**

L. Respond in accordance with the examples:

ESEMPI: —**Sei Mario?**—   —**Sei Viviana?**—
        —**No, sono Giorgio.**—   —**No, sono Matilde.**—

1. Carlo / Franco
2. Paolo / Davide
3. Giacomo / Arturo
4. Anna / Diana
5. Gabriella / Teresa
6. Caterina / Giulia

6. Grammatica: **Concordanza degli aggettivi**
(Agreement of adjectives)
Describing people

Frasi modello

Ripetete:

Il ragazzo è americano.
La ragazza è italiana.

Rispondete:

ESEMPIO: È americano il ragazzo?   —Sì, il ragazzo è americano.—
                                    —No, il ragazzo non è
                                    americano.—

È italiana la ragazza?   È brutta Silvia?
È simpatico il ragazzo?   È americano o italiano Gianni?
È brutto il ragazzo?   È italiana o americana Marisa?
È simpatico Gianni?   È simpatico o brutto Carlo?
È simpatico Mario?   Com'è Carlo?
È brutto Enrico?   È simpatica o brutta Silvia?
È americana la ragazza?   Com'è Silvia?
È bella la ragazza?   È basso il ragazzo?
È brutta la ragazza?   È alta la ragazza?
È simpatica Elena?

NOTA E RAMMENTA

1. Adjectives in Italian agree in gender with the nouns they
   describe. If a noun is masculine, the adjective describing it
   is also masculine:

   il ragazzo americano   **il ragazzo simpatico**
   il ragazzo italiano   **il ragazzo alto**

2. If a noun is feminine, the adjective describing it is also
   feminine:

   la ragazza americana   **la ragazza bella**
   la ragazza italiana   **la ragazza alta**

3. The masculine definite article is **il:** *il* **ragazzo** (*the boy*)
   The feminine definite article is **la:** *la* **ragazza** (*the girl*)

4. **e** = *and*

   Do not confuse **e** (*and*) with the other form **è** (with accent),
   which means *is*.

   ESEMPIO: **Maria è** (*is*) **alta e** (*and*) **bella.**

Attività

M. Respond:

ESEMPIO: Maria è alta. E Mario?
        Mario è alto.

1. Il ragazzo è italiano. E la ragazza?
2. Marisa è americana. E Tommaso?
3. Roberto è simpatico. E Teresa?
4. La ragazza non è brutta. E il ragazzo?

N. Restate the paragraph changing **io** to **Marisa:**

Io sono un ragazzo. Sono americano. Non sono italiano.
Sono simpatico; non sono brutto.

O. Complete each sentence with the correct forms of adjectives of your choice:

1. Marisa è _____ e _____.   3. Io sono _____ e _____.
2. Paolo è _____ e _____.

P. Answer each question with a complete sentence; use your imagination:

1. Gianni è un ragazzo?   6. Teresa è una ragazza?
2. È americano o italiano?   7. È americana o italiana?
3. È brutto?   8. È brutta?
4. È alto?   9. È bassa?
5. Com'è Gianni?   10. Com'è Teresa?

Q. Parla italiano. Ask another student if he or she is

1. Italian or American.   3. a boy or a girl.
2. tall or short.   4. pretty / handsome or ugly.

NOTA E RAMMENTA

1. A question with the **io** form of a verb is answered with the **tu** form of a verb:

   Chi *sono io*?   *Tu sei* Gina.
   Sono un ragazzo?   Sì, *tu sei* un ragazzo.
   Sono simpatico?   Sì, *tu sei* simpatico.

2. A question with the **tu** form of a verb is answered with the **io** form of a verb:

   Chi *sei tu*?   *Io sono* Franco.
   Sei una ragazza?   *Io sono* una ragazza.
   Sei brutta?   *Io* non *sono* brutta.

3. A question with the **lui** or **lei** form of a verb is answered with the **lui** or **lei** form of the verb:

   Chi è *lei*?   *Lei è* Teresa.
   Chi è *lui*?   *Lui è* Giorgio.
   Lei è una ragazza?   Sì, *lei è* una ragazza.
   Lui è un ragazzo?   Sì, *lui è* un ragazzo.
   Lei è alta?   Sì, *lei è* alta.
   Lui è basso?   No, *lui* non è basso.

LEZIONE 3

1. Dialogo

Chi è lei?

MARIO: **Ciao, Gianni.**
GIANNI: **Ciao, Mario.**
MARIO: **Chi è la ragazza?**
GIANNI: **È Marisa.**
MARIO: **È bella.**
GIANNI: **Sì, è molto** (*very*) **bella.**
MARIO: **È americana?**
GIANNI: **No, è italiana.**

Avete capito? (*Did you understand?*) *Rispondete:*

To find out if you understood the dialog, answer the following questions:

1. **Chi è la ragazza?**
2. **È brutta la ragazza?**
3. **È americana?**
4. **È italiana?**

24

NOTA E RAMMENTA

You have probably observed that subject pronouns are often omitted in Italian:

Sono americano.	*I am American.*
Sei Gina?	*Are you Gina?*
È molto bella.	*She is very pretty.*

Since the verb ending in Italian shows person and number, subject pronouns may be omitted, except for clarity or emphasis. Compare:

È **italiano.**   But   *Lui* **è italiano e** *lei* **è americana.**

Chi è lui?

SILVIA:	**Ciao, Anna.**
ANNA:	**Ciao, Silvia.**
SILVIA:	**Chi è lui?**
ANNA:	**È Carlo.**
SILVIA:	**È simpatico.**
ANNA:	**Sì, è molto simpatico.**
SILVIA:	**È americano?**
ANNA:	**No, è italiano.**

Avete capito? Rispondete:

1. **Chi è il ragazzo?**   3. **È americano?**
2. **È simpatico il ragazzo?**   4. **È italiano?**

Attività

A. Parla italiano. Act out the following situation:

A boy meets a girl. He asks her who she is. She asks him who he is. He compliments her. She compliments him. He asks her if she is Italian or American. She asks him the same thing. They say "good-bye" to each other.

2. Lettura

Gianni e Marisa

Gianni è un ragazzo. È un ragazzo simpatico, non brutto. È italiano. Non è americano. Marisa è una ragazza. È una ragazza simpatica e bella. È americana. Non è italiana. Marisa è l'amica di Gianni.

amica *friend*
di *of*

Avete capito? Rispondete:

1. Chi è Gianni?
2. È simpatico o brutto?
3. Com'è?
4. È americano o italiano?
5. Chi è Marisa?

6. È bella o brutta Marisa?
7. Com'è Marisa?
8. È americana o italiana?
9. Chi è l'amica di Gianni?

NOTA E RAMMENTA
Parole affini (*Cognates*)

1. Cognates are words of two different languages that look (almost) the same and have the same meaning. Here are some examples:

ITALIAN	ENGLISH
classe	*class*
professore	*professor*
americano	*American*
presente	*present*
assente	*absent*

2. Some cognates are more difficult to recognize because they have undergone certain changes in both languages. If you can identify the basic part (root) that is similar to an English and an Italian word, you can easily learn the meaning of the Italian word:

   HINT: Look at the first two or three consonants. Are they the same? Here are some examples: **penisola** is not exactly the same but is close enough to *peninsula* to be recognized as a cognate. What about **nazione, comprende, isola, monte?**

3. Ninety-five percent of the Italian words and seventy-five percent of the English words have a common source: Latin. As a result, there are many words in Italian and English that have the same basic part (root). Learning to discover and to recognize these common roots will help you master Italian vocabulary.

Attività

B. Componimento (*Composition*). Write a short paragraph in which you answer the following questions:

1. Gianni è un ragazzo?
2. Lui è americano?
3. È anche simpatico?
4. È alto?

5. Marisa è una ragazza?
6. Lei è italiana?
7. È bella?
8. Gianni è l'amico di Marisa?

C. Domande personali:

1. Chi sei tu?
2. Sei un ragazzo o una ragazza?
3. Sei alto / alta o basso / bassa?

4. Sei simpatico / simpatica?
5. Sei americano / americana?
6. Sei italiano / italiana?

3. Lettura culturale

La geografia dell'Italia

L'Italia è una penisola circondata da quattro mari: il Mare Ligure e il Mare Tirreno a ovest, il Mare Ionio a sud, e il Mare Adriatico a est.

circondata *surrounded*

L'Italia confina a nord con la Francia, la Svizzera, l'Austria e la Iugoslavia. La Francia è una nazione; la Svizzera è una nazione; l'Austria è una nazione; la Iugoslavia è una nazione.

confina borders

L'Italia comprende due grandi isole: la Sardegna e la Sicilia. La Sicilia è un'isola; la Sardegna è un'isola.

comprende includes
isole islands

In Italia ci sono due grandi catene di monti: le Alpi e gli Appennini.

ci sono there are
catene di monti mountain chains

Attività

D. Complete the sentences:

1. L'Italia è circondata da _____.
2. Il Mare Ionio è a _____.
3. La Francia confina con _____.
4. L'Austria è una _____.
5. Le Alpi e gli Appennini sono due _____.

E. Vero o falso? (*True or false?*) If your answer is **falso,** correct the statement:

1. L'Italia è un'isola.
2. L'Italia confina con la Sicilia.
3. La Sardegna è un'isola.
4. La Svizzera è una penisola.
5. In Italia ci sono due grandi isole.

F. Nord, est, sud, ovest?

1. L'Italia è a _____ della Francia.
2. La Svizzera è a _____ dell'Italia.
3. Gli Appennini sono a _____ del Mare Tirreno.
4. Il Mare Tirreno è a _____ del Mare Ligure.
5. La Sardegna è a _____ dell'Italia.

G. State your position. The teacher will give you a large tag on which one of the geographical names found in the map will be written. You represent that part of Italy's geography. Identify yourself and say where you are in relation to another part of Italy:

ESEMPIO: **Io sono il Mare Tirreno. Io sono a ovest della Sardegna.**

4. Ripasso (Review)

NOMI	AGGETTIVI	VERBI	PAROLE VARIE
il capitolo	alto / alta	essere	anche
la classe	americano / americana	sono	chi?
il professore	assente	sei	come?
la ragazza	basso / bassa	è	sì
il ragazzo	bello / bella		no
la signora	brutto / brutta		o
il signor(e)	presente		
la signorina	simpatico / simpatica		

ESPRESSIONI E FRASI

Io sono Marco.   Chi è il ragazzo?
Buon giorno.   Chi è la ragazza?
Ciao!   Chi sono io?
Arrivederci.   Chi sei tu?
Io sono un ragazzo.   Chi è lui?
Io sono una ragazza.   Chi è lei?
Io non sono brutta.   Com'è la ragazza?
La ragazza è bella.   Com'è il ragazzo?
Il ragazzo è simpatico.

Attività

H. Scrivi in italiano. Write into your notebook all the cognates that you have learned so far. Do the same for all the remaining chapters. Reserve a section of your notebook just for cognates.

I. Parla italiano. Ask as many questions in Italian as you can about at least five illustrations in this chapter. Next, write down the questions and the answers.

J. Scrivi in italiano. Write a short dialog that you imagine is taking place between the two people in the picture.

K. Ascolta l'italiano. You will hear several pairs of statements. Choose the correct one:

1.   A   B
2.   A   B
3.   A   B
4.   A   B

Capitolo 2

LEZIONE 4

1. I numeri (The numbers)

1	uno	11	undici	21	ventuno	40	quaranta
2	due	12	dodici	22	ventidue	50	cinquanta
3	tre	13	tredici	23	ventitrè	60	sessanta
4	quattro	14	quattordici	24	ventiquattro	70	settanta
5	cinque	15	quindici	25	venticinque	80	ottanta
6	sei	16	sedici	26	ventisei	90	novanta
7	sette	17	diciassette	27	ventisette		
8	otto	18	diciotto	28	ventotto		
9	nove	19	diciannove	29	ventinove		
10	dieci	20	venti	30	trenta		

Attività

A. What numbers come to your mind for each of these pictures?

1.

3.

2.

4.

35

5.

9.

6.

10.

7.

11.

8.

12.

B. Continue the following series in Italian:

1. 1, 3, 5, _____
2. 2, 4, 6, _____
3. 10, 9, 8, _____
4. 30, 28, 26, _____
5. 31, 29, 27, _____
6. 0, 5, 10, _____

NOTA E RAMMENTA

1. The first nineteen numbers are all irregular and must be learned individually.

2. From 20 on, numbers follow a certain pattern:

   a. **ventuno** is the combination of **venti** + **uno**; so is **trentuno** = **trenta** + **uno,** and so on.

   b. **ventotto** (28) is the combination of **venti** + **otto;** so is **trentotto** (38) = **trenta** + **otto, quarantotto** (48), **cinquantotto** (58), and so on.

   c. All the other members are formed by adding the units (1 through 9) to the tenths (20, 30, etc.).

   > ESEMPIO: 20 + 2 = 22   **ventidue**
   > 20 + 5 = 25   **venticinque**
   > 30 + 2 = 32   **trentadue**

   d. Any number compound of **tre** (3) takes an accent (`) at the end of the word: **venti*trè*, trenta*trè*,** etc.

C. Read the following license plates:

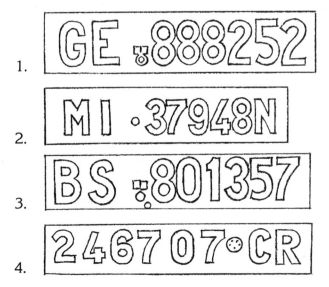

1. GE 888252

2. MI 37948N

3. BS 801357

4. 246707 CR

5.

7.

6.

8.

D. Qual è il tuo numero di telefono? (*What is your telephone number?*)

Say your telephone number in Italian:

ESEMPI: **Il mio numero di telefono è: cinque uno sei — due sei sei — uno due zero cinque**

IN ITALIA

Il servizio telefonico in Italia

ZARI dr. Renato, 103 v. Aurelia Orientale 5 29 68
ZAROLI Dante, 38 v. pr. Tubino 5 12 93
ZAROTTI Maria Carla, 3 p.za Molfino 5 02 78
ZARRO Aldo, 18 v. Fioria
    loc. S. Michele di Pagana 6 73 24
  » Giorgio, 84/a v. S. Maria 66 99 17
ZAULI Renza, 2 v. pr. Parco Moro 5 66 95
ZAVAGLI Antonio, 59 v. pr. Canessa 27 23 58
ZAVAGNA Luigia, 73 v. Baisi 5 46 75
ZAVARONI Guido, 5 v. Duca D'Aosta 6 13 94
ZAVATTARO rag. Giulio
    110/d v. della Libertà 5 52 60
  » ing. Mario, 132 v. della Libertà 5 56 44
ZAVATTERO Pasquina, 2 v. Perasso 5 64 15
  » VILLA Carla, 2 v. Costaguta Malado 5 65 15
ZAVOTA Gastone, v. Romana 5 08 75
ZAZZALI Maria, 19 v. pr. Rizzo 27 15 51
ZAZZERI Alessandra, 2 v. pr. Queirolo 6 73 49
ZE Aldo, 13 v. Bosena 6 65 01
  » Attilio, Manutenzioni Centrali Termiche
    229 v. Mameli 27 12 98
ZEBULONE Luigia, 83 v. Ferretto 6 55 19
ZECCA Adele, 5/a v. Amendola 5 39 02
  » Aldo, 41 v. Laggiaro 6 64 05
  » CAVALLINI Maria, 5 v. pr. Cordano 27 07 87
  » Franco, 12 passo Frassini 27 27 22
  » Luigi, 29 v. pr. Castagneto 6 65 21

ZECCHINI AIAZZA Maria, 15/a v. Savagna 27 00 03
ZEDA Bruna, 29 c. Roma 5 21 21
ZEDDA Angelino, 5 sal. Paxo 6 63 31
  » Giovanni, 17 v. Canale 5 60 32
  » Giuseppe, 76/a v. S. Maurizio di Monti
    S. Maurizio di Monti 6 47 80
ZEIRO Carlo, 3 v. Tardito 66 92 42
ZELASCHI Giovanna Maria
    68 sal. Cerisola 6 14 69
ZELLA Romeo, 6 v. Magellano 5 65 05
ZELOCCHI SONCINI Anna, 36 c. Italia 5 35 03
ZEMA Francesca, 5 v. pr. dei Gerani 5 81 63
ZENDALI Carlo Felice, v. Prelo
    (Villa il Conventino) 5 40 34
ZENNARO Carla, 59 v. Torre del Menegotto 6 28 97
  » Flora, 5 v. del Villone 6 43 49
  » Rina, 26/d v. Benedetto Brin 66 96 18
ZEPPA Giuseppe, 14/a v. Sbarbaro 6 77 69
ZERBA Ivan, 148 v. S. Michele 27 13 63
  » prof. Luigi, 10 v. E. Toti 6 48 00
  » PAGELLA dr. Gian Carlo
    17 v. Guardastelle 5 26 79
ZERBETTO Giovanni, 18 v. Castruccio 6 79 09
ZERBINOTTI Lucia, 15 v. Camporino 66 98 65
ZERBONI Sabina, 53 v. Torre del Menegotto 6 26 44

Attività

E. You are a telephone operator in Italy. Your classmates are calling you to ask for one of the telephone numbers listed above. Tell them the number:

ESEMPIO: **Qual è il numero di telefono della Signora Zerboni?**
Il numero è: sei-due-sei-quattro-quattro.

2. Che giorno è oggi? (What day is today?)

	1988 2014		
	GENNAIO	FEBBRAIO	MARZO
LUNEDÌ	4 11 18 25	1 8 15 22 29	7 14 21 28
MARTEDÌ	5 12 19 26	2 9 16 23	1 8 15 22 29
MERCOLEDÌ	6 13 20 27	3 10 17 24	2 9 16 23 30
GIOVEDÌ	7 14 21 28	4 11 18 25	3 10 17 24 31
VENERDÌ	1 8 15 22 29	5 12 19 26	4 11 18 25
SABATO	2 9 16 23 30	6 13 20 27	5 12 19 26
DOMENICA	3 10 17 24 31	7 14 21 28	6 13 20 27
	APRILE	MAGGIO	GIUGNO
LUNEDÌ	4 11 18 25	2 9 16 23 30	6 13 20 27
MARTEDÌ	5 12 19 26	3 10 17 24 31	7 14 21 28
MERCOLEDÌ	6 13 20 27	4 11 18 25	1 8 15 22 29
GIOVEDÌ	7 14 21 28	5 12 19 26	2 9 16 23 30
VENERDÌ	1 8 15 22 29	6 13 20 27	3 10 17 24
SABATO	2 9 16 23 30	7 14 21 28	4 11 18 25
DOMENICA	3 10 17 24	1 8 15 22 29	5 12 19 26
	LUGLIO	AGOSTO	SETTEMBRE
LUNEDÌ	4 11 18 25	1 8 15 22 29	5 12 19 26
MARTEDÌ	5 12 19 26	2 9 16 23 30	6 13 20 27
MERCOLEDÌ	6 13 20 27	3 10 17 24 31	7 14 21 28
GIOVEDÌ	7 14 21 28	4 11 18 25	1 8 15 22 29
VENERDÌ	1 8 15 22 29	5 12 19 26	2 9 16 23 30
SABATO	2 9 16 23 30	6 13 20 27	3 10 17 24
DOMENICA	3 10 17 24 31	7 14 21 28	4 11 18 25
	OTTOBRE	NOVEMBRE	DICEMBRE
LUNEDÌ	3 10 17 24 31	7 14 21 28	5 12 19 26
MARTEDÌ	4 11 18 25	1 8 15 22 29	6 13 20 27
MERCOLEDÌ	5 12 19 26	2 9 16 23 30	7 14 21 28
GIOVEDÌ	6 13 20 27	3 10 17 24	1 8 15 22 29
VENERDÌ	7 14 21 28	4 11 18 25	2 9 16 23 30
SABATO	1 8 15 22 29	5 12 19 26	3 10 17 24 31
DOMENICA	2 9 16 23 30	6 13 20 27	4 11 18 25

I giorni della settimana sono (*The days of the week are*):

lunedì, martedì, mercoledì, giovedì, venerdì, sabato, domenica.

Attività

F. By looking at the calendar of March, tell what day of the week it is:

ESEMPIO: **Il due è mercoledì.**

1. Il 4 è _____.   7. Il 12 è _____.
2. Il 9 è _____.   8. Il 3 è _____.
3. Il 6 è _____.   9. L'8 è _____.
4. Il 7 è _____.   10. Il 5 è _____.
5. Il 24 è _____.   11. Il 18 è _____.
6. Il 27 è _____.   12. Il 30 è _____.

G. Knowing what day is today **(oggi),** tell what day was yesterday **(ieri)** and what day will be tomorrow **(domani):**

Ieri	Oggi	Domani
_____	giovedì	_____
_____	lunedì	_____
_____	mercoledì	_____
_____	sabato	_____
_____	martedì	_____

NOTA E RAMMENTA

1. The days of the week are not capitalized unless they are at the beginning of a sentence.

2. The weekdays, **lunedì** through **venerdì,** receive an accent at the end of the word.

---

3. **I mesi** (The months)

gennaio	maggio	settembre
febbraio	giugno	ottobre
marzo	luglio	novembre
aprile	agosto	dicembre

NOTA E RAMMENTA

The months of the year are not capitalized.

Attività

H. Prima di (*before*) or **dopo** (*after*)?

Follow the model and fill out the blanks:

ESEMPI: **9 è prima di 10.**
      10 è dopo 9.

1. 6 è _____ 7.
2. 9 è _____ 8.
3. 15 è _____ 17.
4. 19 è _____ 18.
5. 23 è _____ 24.

I. Prima di or **dopo?**

ESEMPIO: **Febbraio è prima di marzo.**

1. Gennaio è dopo _____.
2. Settembre è prima di _____.
3. Agosto è dopo _____.
4. Novembre è prima di _____.
5. Maggio è dopo _____.
6. Luglio è dopo _____.
7. Marzo è prima di _____.
8. Aprile è prima di _____.
9. Ottobre è dopo _____.
10. Dicembre è dopo _____.
11. Giugno è prima di _____.

4. Qual è la data di oggi? (What is today's date?)

GENNAIO			
4	11	18	25
5	12	19	26
6	13	20	27
7	14	21	28
1 8	15	22	29
② 9	16	23	30
3 10	17	24	31

FEBBRAIO				
1	8	15	22	29
2	9	16	23	
3	10	17	24	
4	11	18	25	
5	12	19	26	
6	13	20	27	
⑦	14	21	28	

MARZO				
	7	14	21	28
①	8	15	22	29
2	9	16	23	30
3	10	17	24	31
4	11	18	25	
5	12	19	26	
6	13	20	27	

**Oggi è
il due gennaio.**

**Oggi è
il sette febbraio.**

**Oggi è
il primo marzo.**

```
      APRILE
    4   11  18  25
    5   12  19  26
   (6)  13  20  27
    7   14  21  28
 1  8   15  22  29
 2  9   16  23  30
 3  10  17  24
```

```
      MAGGIO
    2   9   16  23  30
    3   10  17  24  31
    4   11  18  25
   (5)  12  19  26
    6   13  20  27
    7   14  21  28
 1  8   15  22  29
```

```
      GIUGNO
    6   13  20  27
    7   14  21  28
 1  8   15  22  29
 2  9   16  23  30
 3 (10) 17  24
 4  11  18  25
 5  12  19  26
```

**Oggi è
il sei aprile.**

**Oggi è
il cinque maggio.**

**Oggi è
il dieci giugno.**

```
      LUGLIO
    4   11  18  25
    5   12  19  26
    6   13  20  27
    7   14  21  28
 1  8   15  22  29
 2  9   16  23 (30)
 3  10  17  24  31
```

**Oggi è
il trenta luglio.**

NOTA E RAMMENTA

Italian uses cardinal numbers to express days, except for the
first day, for which the ordinal number **primo** is used:

> Il *due* aprile è sabato.
> Il *primo* maggio è domenica.

Attività

J. Che giorno è? (*What is the date?*)

Look at the calendar for this year and write the dates in Italian for the
occasions listed below. Then, say them aloud:

ESEMPIO: **Capodanno** (*New Year's Day*)   **È il primo gennaio.**

1. San Valentino (Valentine's Day)
2. Natale (Christmas)
3. Pasqua (Easter)
4. Festa della mamma (Mother's Day)
5. Festa del papà (Father's Day)
6. Festa del lavoro (Labor Day)

7. Il giorno del ringraziamento (Thanksgiving Day)
8. Il tuo compleanno (Your birthday)
9. Il tuo onomastico (Your name day)

IN ITALIA

The Calendar

In Italy, Monday is the first day of the week.

When telling or writing dates, we Americans write the name of the month first and the number of the day second: January 1, February 7, May 15. We abbreviate those dates: 1/1, 2/7, 5/15.

In Italian the opposite occurs: the number of the day comes first, the name of the month comes second: **1 gennaio, 7 febbraio, 15 maggio.** These dates are abbreviated: **1/1, 7/2, 15/5.**

Many Italians are named after saints and, therefore, celebrate the feast day of the saint after whom they are named. That feast day is called **onomastico** (*name day*). Thus, all those named Stefano celebrate their **onomastico** on the day after Christmas, December 26, because on that day falls the feast of Santo Stefano (St. Stephen).

Of course, Italians also celebrate their birthday **(il compleanno).**

Attività

K. Quando è il tuo compleanno? (*When is your birthday?*)

Il mio compleanno è _____.

Tell when each of the following people have their birthdays:

ESEMPIO: Antonio 16/4
Il compleanno di Antonio è il sedici aprile.

1. Anna 6/5
2. Riccardo 10/6
3. Dolores 8/10
4. Michele 22/9
5. Luigi 17/2

6. Cristina 15/7
7. Maurizio 28/1
8. Lucia 19/8
9. Rosa 23/4
10. Gianni 25/12

LEZIONE 5

STRUTTURA E PRATICA

1. Cosa vuol dire?

la scuola

la professoressa

il telefono

la televisione

guardare

studiare

parlare

2. Vignette

Giorgio è un alunno.
Lui studia l'italiano.
Lui studia l'italiano a scuola.
Giorgio studia molto.
Studia anche l'inglese.

Avete capito? Rispondete:

1. **Chi è Giorgio?**
2. **Che cosa studia?**
3. **Dove studia l'italiano?**
4. **Studia anche l'inglese?**

Gina è un'alunna.
Lei parla italiano.
Gina parla con la
    professoressa.

Avete capito? Rispondete:

1. **Chi è Gina?**
2. **Parla inglese?**
3. **Con chi parla Gina?**

Questa (*this*) è la famiglia di
    Gina.
Gina guarda la televisione.
Lei guarda la televisione con la
    famiglia.
Lei guarda la televisione nel
    salotto.
Gina guarda la televisione a
    casa.

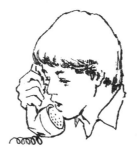

Questo (*this*) è il telefono.
Giorgio parla.
Lui parla al telefono.

Avete capito? Rispondete:

1. È questa la famiglia di Gina?
2. Che cosa guarda Gina?
3. Con chi guarda la televisione?
4. Dove guarda la televisione?

Avete capito? Rispondete:

1. **Che cosa è questo?**
2. **Chi parla?**
3. **Giorgio parla al telefono?**

NOTA E RAMMENTA

Dove (*where?*), **con chi?** (*with whom?*), and **che cosa?** (*what?*)
are words that introduce a question.

ESEMPIO: **Dov'è la televisione?** *Where is the television?*
          Con chi parli? *With whom are you speaking?*
          Che cosa vuol dire? *What does it mean?*

Attività

A. Someone makes several statements, but you do not understand them
completely. Ask questions substituting the appropriate question word
(**chi, con chi, che cosa, dove**) for the bold word:

ESEMPIO: Gianna studia **l'italiano.**
          Che cosa studia Gianna?

1. La famiglia guarda **la televisione.**
2. **Carlo** parla al telefono.
3. Lui studia **a scuola.**
4. Paolo parla **con la professoressa.**
5. La ragazza studia **nel salotto.**

B. Complete each sentence with an appropriate word:

1. La famiglia guarda la _____.
2. Il ragazzo parla al _____.
3. Elena _____ inglese.
4. Carlo guarda la televisione nel _____.
5. Maria studia l'italiano a _____.

C. Answer each question with a complete sentence:

1. Parla al telefono Tommaso?
2. Guarda la televisione la famiglia?
3. Studia l'inglese la ragazza?
4. Carlo parla inglese o italiano?
5. Paolo studia a casa o a scuola?

D. Parla italiano. Tell the class if three of your friends study Italian or English, whether at school or at home:

ESEMPIO: **Gino studia l'italiano a casa.**

3. Grammatica: Singolare dei verbi in *-are*
Asking and saying what people are doing

1. Frasi modello

Ripetete:

Maria guarda la televisione.
Giorgio parla al telefono.
Elena studia molto.

Rispondete:

Guarda la televisione
  Maria?
Guarda la televisione
  Giorgio?
Guarda la televisione la
  ragazza?
Parla al telefono Giorgio?
Chi parla al telefono?

Parla italiano Marisa?
Parla inglese lui?
Studia l'alunno?
Studia l'alunna?
Studia molto la ragazza?

2. Frasi modello

Ripetete:

Tu guardi la televisione.
Tu parli al telefono.
Tu studi molto a scuola.

Imitate l'esempio:

ESEMPIO: **Lui parla italiano.**
          Anche tu parli italiano.

Lui guarda la televisione.   **Lui parla con Luisa.**
Lui studia l'inglese.   **Maria studia molto.**
Lei studia l'italiano.   **Tommaso parla con la**
Il ragazzo parla al   **   professoressa.**
**   telefono.**   **Lei parla inglese.**

3. Frasi modello

Ripetete:

Io parlo italiano.
Io studio l'italiano.
Io guardo la televisione.

NOTA E RAMMENTA

Verbs (action words) in Italian belong to a family (or conjugation). The first conjugation verbs are called the **-are** verbs because the infinitive (to study, to look, to speak) ends in **-are (studiare, guardare, parlare).**

Note that Italian verbs change endings according to the subject **(io, tu, lui/lei).**

Study the following forms of the singular:

io	guard*o*	parl*o*	stud*io*
tu	guard*i*	parl*i*	stud*i*
lui / lei	guard*a*	parl*a*	stud*ia*

Read the following:

Io guardo la televisione. Tu non guardi la televisione. Tu studi. Carlo parla con un amico.

What verb ending is used when you speak about yourself?
What verb ending is used when you speak to a friend?
What ending is used when you speak about someone else?

Rispondete:

Guardi la televisione?   Con chi parli italiano?
Dove guardi la televisione?   Studi?
Che cosa guardi?   Studi molto?
Parli italiano?   Studi a scuola?
Parli inglese?   Dove studi?

Attività

E. Add the appropriate endings:

1. Gianni guard___ la televisione.
2. Io parl___ al telefono.
3. Parl___ italiano anche tu?
4. Carlo parl___ al telefono.
5. Io studi___ molto.
6. Anche Marisa studi___ molto.
7. La professoressa parl___ con un alunno.
8. Tu stud___ l'italiano.
9. Io parl___ italiano.
10. Lui guard___ la televisione nel salotto.

F. Restate each sentence in the negative according to the model:

ESEMPIO: **Carlo parla al telefono.**
             Carlo non parla al telefono.

1. Parlo inglese.
2. Marisa guarda la televisione.
3. Tu studi molto.
4. La professoressa parla al telefono.
5. L'alunno parla con la professoressa nel salotto.

G. Answer each question with a complete sentence:

1. Guardi la televisione a casa?
2. Parli con la professoressa?
3. Parli al telefono?
4. Studi anche l'italiano?
5. Parli con la famiglia?

H. Form questions according to the model:

ESEMPIO: **Parlo italiano.**
　　　　　Parli italiano?

1. Studio molto.
2. Parlo con Paolo.
3. Parlo al telefono.

4. Guardo la televisione.
5. Parlo inglese.

I. **Parla italiano.** Ask a classmate if

1. he/she watches television.
2. he/she speaks on the telephone.
3. he/she speaks Italian.
4. he/she studies English.

NOTA E RAMMENTA

You have seen that **chi?** (*who?*) introduces a question:

Chi parla? (*Who speaks?*)

Chi is also used with the preposition **con** (*with*):

Con chi parli? (With whom do you speak?)

Chi may also be used with other prepositions:

ESEMPIO: **di chi?** (*whose?*)

What does the following mean?

Di chi è la televisione?

---

4. Grammatica: Di chi? (Whose?)
Indicating possession

Frasi modello

Ripetete:

Teresa è l'amica di Carlo.
Carlo è l'amico di Teresa.
L'amica di Carlo è alta.

Rispondete:

Carlo è l'amico di Maria?
Eva è l'amica di Paolo?
È simpatico l'amico di Elisabetta?
È americana la professoressa di Gianna?
È italiana la famiglia di Roberto?

È alta la professoressa di Beppe?
È simpatico il professore di Barbara?
È bella la casa di Rosina?
Parla italiano l'amico di Teresa?
Studia l'inglese l'amica di Mario?

NOTA E RAMMENTA

In English, possession is expressed by *'s:* John's friend.

In Italian, a prepositional phrase with **di** is used to express possession.

Study the following: **l'amico** *di* **Maria**
la casa *di* **Elena**
la professoressa *di* **Giorgio**

What do these expressions mean?

Attività

J. Complete the following sentences:

1. Gianni è l'amico _____ Beppe.
2. Maria è l'amica _____ Giorgio.
3. È la casa _____ Rosina.
4. La professoressa _____ Roberto è americana.
5. L'amico _____ Elisabetta parla al telefono.
6. È simpatico il professore _____ Elena?
7. È italiana la famiglia _____ Maria?
8. La signora Caputo è la professoressa _____ Gianni.

K. Answer each question with a complete sentence:

1. Il telefono è di Carlo?
2. La televisione è di Gina?
3. È l'amica di Paolo?
4. È la famiglia di Teresa?
5. È la casa di Antonio?

L. Parla italiano. Tell the class in Italian to whom the following items belong:

ESEMPIO: It's Mary's school.
È la scuola di Maria.

1. It's Gina's telephone.
2. It's Gianni's friend.
3. It's Giorgio's professor.
4. It's Maria's class.

5. It's Mario's family.
6. It's Umberto's television.
7. It's Anna's house.

1. Dialogo

Chi parla al telefono?

GIORGIO:	**Pronto?**
GINA:	**Pronto?**
GIORGIO:	**Con chi parlo?**
GINA:	**Con chi parli? Con la professoressa!**
GIORGIO:	**Con la professoressa, eh?! No, Gina, tu non sei la professoressa.**
GINA:	**Va bene, Giorgio. Che cosa studi?**
GIORGIO:	**Studio l'italiano. E tu?**
GINA:	**Anche io studio l'italiano.**

pronto *hello*

va bene OK

Avete capito? Rispondete:

1. Giorgio parla con la professoressa?
2. Con chi parla?
3. Gina è un'amica di Giorgio?
4. Che cosa studia Giorgio?
5. Che cosa studia Gina?

Attività

A. **Parla italiano.** Recreate a telephone conversation with a girl or a boy you have recently met:

Introductory words: **Pronto? Con chi parlo?**

1. Greet him/her.
2. Ask when his/her birthday is.
3. Ask whether he/she studies Italian.
4. Ask whether he/she watches television.
5. Say good-bye.

2. Lettura

Giorgio e Gina

Giorgio è un ragazzo alto. È americano. È un amico di Gina. Gina è una ragazza italiana. A scuola Gina studia l'inglese. Giorgio studia l'italiano. La professoressa d'italiano è molto simpatica.

La sera Giorgio studia a casa. Guarda la televisione. Guarda la televisione con la famiglia nel salotto e, qualche volta, parla al telefono con Gina.

la sera *in the evening*
qualche volta
sometimes

Avete capito? Rispondete:

1. Chi è alto?
2. Giorgio è americano o italiano?
3. Chi è Gina?
4. Dove studia l'inglese Gina?
5. Giorgio studia l'italiano?
6. Com'è la professoressa?
7. Giorgio studia a casa?
8. Che cosa guarda Giorgio?
9. Con chi guarda la televisione?
10. Dove guarda la televisione?
11. Con chi parla al telefono?

Attività

B. Componimento. Write a short paragraph in which you answer the following questions:

1. Gina è un'alunna?
2. Dove studia Gina?
3. Che cosa studia?
4. Parla con la professoressa a scuola?
5. È simpatica (simpatico) la professoressa (il professore)?
6. La sera Gina guarda la televisione?
7. Dove guarda la televisione?
8. Con chi guarda la televisione?
9. Parla al telefono qualche volta?
10. Con chi parla al telefono Gina?

C. Domande personali:

1. Sei americano (americana)?
2. Parli inglese?
3. Sei un alunno (un'alunna)?
4. Studi l'italiano?
5. Dove studi l'italiano?
6. Chi è il professore (la professoressa) d'italiano?
7. È simpatico (simpatica)?
8. Guardi la televisione qualche volta?
9. Dove guardi la televisione?
10. Con chi guardi la televisione?
11. Parli molto al telefono?
12. Con chi parli al telefono?

3. Lettura culturale

Geografia

I principali monti italiani sono il Monte Bianco, il Monte Rosa   **monti** *mountains*
e il Gran Sasso.

I principali fiumi italiani sono il Po, l'Adige, il Tevere e l'Arno.   **fiumi** *rivers*

I principali laghi italiani sono il Lago di Garda, il Lago di   **laghi** *lakes*
Como e il Lago Maggiore.

In Italia ci sono tre vulcani ancora attivi: il Vesuvio, lo Stromboli   **ancora** *still*
e l'Etna.

Attività

D. Impara e parla. Answer the following questions according to the reading:

1. Che cosa è lo Stromboli?
2. Che cosa è il Gran Sasso?
3. Che cosa è l'Arno?
4. È un monte il Lago di Como?
5. È un fiume il Po?
6. È un vulcano il Vesuvio?
7. È un lago l'Adige?
8. È un monte il Tevere?
9. Che cosa è l'Etna?

E. Vero o falso? If your answer is **falso,** correct the statement:

1. I tre laghi principali sono al nord dell'Italia.
2. Il vulcano Stromboli è un'isola.
3. Il fiume Tevere è nell'Italia del nord.
4. I tre vulcani sono al sud dell'Italia.
5. Il Monte Bianco è un monte degli Appennini.

4. Ripasso

NOMI	VERBI	PAROLE VARIE	MESI
l'alunna	guardare	a	gennaio
l'alunno	parlare	al	febbraio
l'amica	studiare	anche	marzo
l'anno		ancora	aprile
la casa		con	maggio
la data	AGGETTIVI	di	giugno
la famiglia	inglese	molto	luglio
il giorno	italiano	nel	agosto
l'inglese	lungo	oggi	settembre
l'italiano	principale		ottobre
la mamma	secondo	GIORNI	novembre
il mese	simpatico		dicembre
il numero		lunedì	
il papà		martedì	
la professoressa		mercoledì	
il salotto		giovedì	
la scuola		venerdì	
la settimana		sabato	
il telefono		domenica	
la televisione			

ESPRESSIONI E FRASI

Che giorno è oggi? Guardi la televisione?
Oggi è il primo marzo. Chi parla al telefono?
Domani è il sette gennaio. Io parlo italiano.
Il mio onomastico è il quattro Io non studio l'italiano.
   novembre. L'amico di Carla.
Il mio compleanno è il 13 ottobre. La famiglia di Roberto.
Che cosa guarda Maria? La scuola di Antonio.

Attività

F. **Parla italiano.** Ask as many questions as you can about the illustrations (at least five); then answer the questions:

1.

2.

3.

G. **Ascolta l'italiano.** You will hear a date in Italian. Give the date in numbers:

ESEMPIO: You hear: **Oggi è il primo maggio.**
You respond: **5/1.**

1. _____ 3. _____ 5. _____ 7. _____ 9. _____
2. _____ 4. _____ 6. _____ 8. _____ 10. _____

H. Ascolta l'italiano. You will hear an action word you have just learned. Repeat it with the correct subject pronouns **io, tu, lei/lui**:

ESEMPIO: You hear: **guarda**
You say: **Lui / Lei guarda.**

I. Completa in italiano. Complete the dialogue with words that fit both logically and structurally:

PAOLO: _____, Enrico.
ENRICO: _____, Paolo.
PAOLO: Studi o _____ la televisione?
ENRICO: Non _____ la televisione. Io _____.
PAOLO: _____ studi?
ENRICO: Studio l'italiano _____ Teresa.
PAOLO: Con _____ studi?
ENRICO: Con Teresa.
PAOLO: _____ è Teresa?
ENRICO: Lei è l'_____ di Gino.

J. Completa in italiano. Complete the paragraph with words that fit both logically and structurally:

L'_____ di Rosina e di Carlo _____ la televisione. Lei guarda la televisione a _____. Rosina non _____ la televisione, lei studia. Rosina _____ un'alunna. Lei _____ l'italiano. Studia anche l'_____. Carlo non _____. Lui _____ al telefono. Parla con un'amica _____ Rosina.

K. Impara il vocabolario. Choose the word that does not belong in the group:

1. (a) la classe   (b) l'alunna   (c) la settimana
   (d) la professoressa
2. (a) il papà   (b) la data   (c) la famiglia   (d) la mamma
3. (a) il telefono   (b) l'anno   (c) il giorno   (d) giugno
4. (a) alta   (b) assente   (c) bella   (d) televisione
5. (a) febbraio   (b) venerdì   (c) aprile   (d) dicembre

L. Impara il vocabolario. All the words in each group are either masculine or feminine, except one. Choose the word whose gender is not like the others:

1. (a) numero   (b) telefono   (c) papà   (d) amica
2. (a) lunedì   (b) sabato   (c) giovedì   (d) domenica
3. (a) televisione   (b) venerdì   (c) aprile   (d) dicembre

M. Impara il vocabolario. Choose the right answer to the following questions:

1. Chi è lui?
   (a) una signora   (b) un ragazzo   (c) una ragazza
2. Come sei tu?
   (a) un alunno   (b) simpatico   (c) la professoressa
3. Qual è la data di oggi?
   (a) il due aprile   (b) ottobre   (c) un mese
4. Che cosa studia Maria?
   (a) oggi   (b) molto   (c) l'italiano
5. Di chi è il libro?
   (a) nel salotto   (b) al telefono   (c) di Marco

5. Controllo della lingua (Language checkpoint)

N. Identifying people. Answer these questions:

1. Chi sei?
2. Chi è lui?
3. Chi è lei?
4. Chi sono io?

O. Meeting people. What do you say

1. when you meet your friend in the morning?
2. when you meet your teacher?
3. when you meet Mrs. Simone?
4. when you meet Mr. Rossi?
5. when you meet Miss Allosio?
6. when you leave your friends?

P. Roll call. What do you say when the teacher calls your name at the beginning of the class?

Q. Spelling. Say the letters that form these words in Italian:

Roma	Venezia	gente
Napoli	gioco	Milano
cranio	Torino	camicia
anche	cucina	laghi
Firenze		

R. Saying the date. **Che giorno è oggi? Qual è la data di oggi?**

ESEMPIO:

Giovedì
8
Luglio

Oggi è giovedì, otto luglio.

1. Venerdì
1
Marzo

2. Mercoledì
12
Maggio

3. Lunedì
21
Giugno

4. Martedì
16
Agosto

5. Domenica
30
Aprile

6. Sabato
10
Novembre

Quando è il tuo onomastico? _____
Quando è il tuo compleanno? _____

S. Numbers. Say these numbers in Italian:

1. 4 _____
2. 7 _____
3. 11 _____
4. 13 _____
5. 17 _____

6. 19 _____
7. 20 _____
8. 23 _____
9. 28 _____
10. 30 _____

T. Describing people. Answer these questions:

1. Com'è il ragazzo?
2. Com'è la ragazza?

3. Come sei tu?

U. Negating. Make the following sentences negative:

1. Io sono americano.
2. Lei è Gina.
3. Carlo è simpatico.
4. Giorgio parla.
5. Io studio l'italiano a casa.
6. Lui guarda la televisione.

V. Asking questions for information. Ask in Italian

1. if Gianni is an American boy.
2. if she is pretty.
3. who the girl is.
4. how he is.
5. if Cristina is tall or short.
6. if Gianni studies Italian.
7. if Maria speaks on the telephone.
8. if the family watches television.
9. with whom Marisa is speaking.
10. if Maria is Carlo's friend.
11. what Filippo is studying.
12. where she watches television.

Capitolo 3

LEZIONE 7

LINGUA VIVA

1. I colori (*The colors*)
2. Nome e cognome (*First name and last name*)
3. Nazionalità (*Nationalities*)

LEZIONE 8

STRUTTURA E PRATICA

1. Cosa vuol dire?
2. Vignette
3. Grammatica: Singolare del verbo *andare* (*to go*)
4. Grammatica: L'articolo determinativo (*The definite article*)
5. Grammatica: L'articolo indeterminativo (*The indefinite article*)
6. Grammatica: Le preposizioni articolate *al, alla* (*Contractions to the*)
7. Pronuncia

LEZIONE 9

INTERMEZZO

1. Dialogo: Dove vai?
2. Lettura: Al mercato o al supermercato?
3. Lettura culturale: Roma
4. Ripasso

LEZIONE 7

1. I colori (The colors)

arancione (*orange*)   **marrone** (*brown*)
azzurro (*light blue*)   **nero** (*black*)
bianco (*white*)   **rosa** (*pink*)
blu (*dark blue*)   **rosso** (*red*)
giallo (*yellow*)   **verde** (*green*)

Attività

A. Ask your classmates to tell the color of the objects you are pointing at:

ESEMPIO: **Che colore è questo?**
È rosso, bianco, verde.

B. Answer the following questions:

ESEMPIO: **Di che colore è la mela?**
La mela è rossa.

1. Di che colore è l'arancia?

4. Di che colore è il fiore?

2. Di che colore è la banana?

5. Di che colore è l'oceano?

3. Di che colore è l'erba?

6. Di che colore è il cielo?

7. Di che colore è il sole?

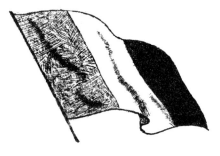

8. Di che colore è la bandiera
   americana?

9. Di che colore è la bandiera
   italiana?

IN ITALIA

Azzurro is the Italian national color. It is the color worn by all
the Italian athletes who participate in international competitions
such as the Olympic Games, the World Cup, and others.

The members of the national soccer team are called **gli azzurri**
and the boat that competes in the America's Cup boat races is
called **Azzurra.**

NOTA E RAMMENTA

Adjectives of color, like all adjectives, agree in gender and
number with the noun they describe.

ESEMPIO: **Il telefono è bianco.**
         La banana è gialla.

2. **Nome e cognome** (First name and last name)

CARLO: **Chi è lei?**
MARIO: **È un'alunna.**
CARLO: **Come si chiama?**
MARIO: **Si chiama Maria Tapinassi.**

CINZIA: **Chi è lui?**
CRISTINA: **È un alunno.**
CINZIA: **Come si chiama?**
CRISTINA: **Si chiama Franco Pini.**

Avete capito? Rispondete:

1. **Chi è la ragazza?**
2. **Come si chiama la ragazza?**

Avete capito? Rispondete:

1. **Chi è il ragazzo?**
2. **Come si chiama il ragazzo?**

GIORGIO: **Chi sei tu?**
RINA: **Sono un'alunna.**
GIORGIO: **Come ti chiami?**
RINA: **Mi chiamo Rina Boni. E tu, chi sei?**
GIORGIO: **Sono un alunno.**
RINA: **Come ti chiami?**
GIORGIO: **Mi chiamo Giorgio Alessi.**

MARINA: **Come si chiama lei, professoressa?**
PROFESSORESSA: **Mi chiamo Iole Rossi. E tu, come ti chiami?**
MARINA: **Mi chiamo Marina Monti.**

Avete capito? Rispondete:

1. **Come si chiama l'alunno?**
2. **Come si chiama l'alunna?**
3. **Come ti chiami tu?**

Avete capito? Rispondete:

1. **Come si chiama la professoressa?**
2. **Come si chiama l'alunna?**

Io sono il Signor Carlo Giuliani.
Il mio nome è Carlo.
Il mio cognome è Giuliani.

Avete capito? Rispondete:

1. **Cosa vuol dire *nome?***
2. **Cosa vuol dire *cognome?***

Attività

C. Recreate with your classmates the dialogs accompanying the pictures on page 67.

D. Ask the classmate in front, behind, beside you his/her name and the name of another classmate. Next, introduce yourself to the class:

ESEMPIO: **Come si chima lui/lei?   Come ti chiami?**
Io mi chiamo _____.

E. Ask the questions that prompt the following answers:

1. _____   Mi chiamo Giuliano.
2. _____   Sono Marisa.
3. _____   Sì, si chiama Teresa.
4. _____   No, mi chiamo Aldo.

3. Nazionalità (Nationalities)

Di dove sei? (*Where are you from?*)

Chi è nato (*born*) in Italia è
  italiano.
Chi è nato in Francia è
  francese.
Chi è nato in Inghilterra è
  inglese.
Chi è nato in Spagna è
  spagnolo.

Chi è nato in Germania è
  tedesco.
Chi è nato in Svizzera è
  svizzero.
Chi è nato in Austria è
  austriaco.
Chi è nato in Iugoslavia è
  iugoslavo.

Attività

F. Tell the nationalities of the persons listed below:

ESEMPIO: **Se tu sei di Berlino** (*If you are from Berlin*), **tu sei tedesco.**

1. Se tu sei di Parigi, tu sei _____.
2. Se lei è di Vienna, lei è _____.
3. Se lui è di Roma, lui è _____.
4. Se io sono di Londra, io sono _____.
5. Se tu sei di New York, tu sei _____.

G. Di dove è? Tell the class in Italian where all the persons listed below are from:

ESEMPIO: Jean (Parigi)
   Jean è di Parigi.

1. Maria (Torino)
2. Gina (Pisa)
3. Luisa (Bari)
4. Giorgio (Verona)
5. Rosanna (Palermo)
6. Gabriella (Arezzo)

H. Dove sei nato? (*Where were you born?*)

Tell the class where you were born and ask your classmates where they were born:

I. You are in Florence and you have just met a young British woman. She is telling you about herself. Listen:

Ciao! Io sono Sally. Sono inglese. Sono di Londra. Sono nella classe d'italiano della Scuola Internazionale di Firenze. La classe è internazionale: Giorgio è spagnolo, Walter è tedesco, la mia amica Cristina è francese. Lei è di Parigi: è una nuova studentessa, ma parla bene l'italiano.

Il professore si chiama Gianpietro Ricci: è di Milano. È un bravo professore.

Vero o falso? If your answer is **falso,** correct the statements:

1. Sally è inglese.
2. Sally è una professoressa.
3. Sally è nella classe d'inglese.
4. Gli studenti sono tutti italiani.
5. L'amica di Sally è francese.
6. Il professore è italiano.
7. Il professore è di Londra.

STRUTTURA E PRATICA

1. Cosa vuol dire?

il supermercato

la cassa

il mercato

il cibo

la macelleria

la latteria

la cucina

il tramezzino

comprare

pagare

preparare

2. Vignette

Gianni va al supermercato.
Il supermercato è moderno.

Gianni è al supermercato.
Non compra molto (*a lot*).
Paga alla cassa.

Avete capito? Rispondete:

1. **Dove va Gianni?**
2. **Com'è il supermercato?**

Avete capito? Rispondete:

1. **Dov'è Gianni?**
2. **Dove paga?**

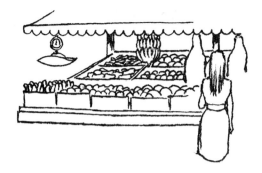

Marina va al mercato.
Il mercato non è moderno, è
tradizionale.
Lei compra il cibo al mercato.

Avete capito? Rispondete:

1. Dove va Marina?
2. Com'è il mercato?
3. Che cosa compra Marina al
   mercato?

Marina è al mercato.
Compra il latte in latteria.
Compra la carne in macelleria.

Avete capito? Rispondete:

1. Dov'è Marina?
2. Che cosa compra in
   latteria?
3. Che cosa compra in
   macelleria?

Antonio è a casa.
È in cucina.
Prepara un tramezzino.

Avete capito? Rispondete:

1. Dov'è Antonio?
2. Che cosa prepara in cucina?

Attività

A. Complete each sentence with the appropriate word:

1. Il supermercato è _____, non è tradizionale.
2. Gianni _____ molto al supermercato.
3. Lui paga alla _____.
4. Marina compra il _____ in latteria e la _____ in macelleria.
5. Il ragazzo prepara un _____ in cucina.

B. Form questions according to the model:

ESEMPIO: **Maria è a scuola.**
Dov'è Maria?

Maria va a scuola.
Dove va Maria?

1. **La signora è al supermercato.**
2. **La signora va al supermercato.**
3. **Giuseppe va al mercato.**
4. **Giuseppe è al mercato.**
5. **La ragazza va in cucina.**
6. **La professoressa è a scuola.**

3. Grammatica: Singolare del verbo *andare* (*to go*)
Expressing where people are going

1. Frasi modello

Ripetete:

Gianni va a scuola. Lui va a scuola.
Maria va a casa. Lei va a casa.
Teresa va al mercato. Lei va al mercato.

Rispondete:

Dove va Gianni?
Va a scuola Gianni?
Dove va Maria?
Va a casa Maria?

Dove va Teresa?
Chi va al mercato?
Va al mercato Teresa?

2. Frasi modello

Ripetete:

Tu vai a scuola.   Tu vai al mercato.
Tu vai a casa.   Tu vai alla latteria.
Tu vai in cucina.

Imitate l'esempio:

ESEMPIO: **Elena va a scuola.**
          Tu non vai a scuola.

Elena va al mercato.   Elena va in cucina.
Elena va a casa.   Elena va al supermercato.
Elena va alla latteria.

3. Frasi modello

Ripetete:

Io vado a scuola.   Io vado al mercato.
Io vado a casa.   Io vado alla latteria.

Rispondete:

Vai a scuola?   Vai in cucina?
Dove vai?   Vai a scuola con Marisa?
Vai alla latteria?   Con chi vai a casa?

Attività

C. **Parla italiano.** Ask in Italian

1. if he goes to school.
2. where Maria is going.
3. if Elena is going to the kitchen.
4. if Giovanni is going to the supermarket.

D. Parla italiano. Say in Italian

    1. that you are going home.
    2. that he is going to the dairy.
    3. that she is going to school.
    4. that Elena is going home.

NOTA E RAMMENTA

The verb **andare** is an irregular verb.

Memorize these forms:

                io *vado*
                tu *vai*
                lui / lei *va*

Attività

E. Complete each sentence with the correct form of **andare:**

1. Gianni _____ in cucina.	5. Io _____ al supermercato.
2. Io non _____ a scuola.	6. Tu _____ a scuola.
3. Carlo _____ alla macelleria.	7. Chi _____ alla latteria?
4. Dove _____ tu?	8. Io _____ a casa di Giuseppe.

F. Follow the model:

    ESEMPIO: **Tu vai in cucina. E Carlo?**
              Anche Carlo va in cucina.

    1. Io vado a scuola. E Paolo?
    2. Elena va a casa. E tu?
    3. Io vado in cucina. E lui?
    4. Il padre di Maria va al supermercato. E Maria?
    5. Il ragazzo va a scuola. E lei?

4. Grammatica: L'articolo determinativo (The definite article)

il ragazzo (*the boy*), *la* ragazza (*the girl*), *l'*amica (*the girlfriend*)

Frasi modello

Ripetete:

Il ragazzo va a scuola.
Il supermercato è
    moderno.
La professoressa è
    simpatica.

La macelleria è nel
    supermercato.
L'amica di Maria è alta.
L'alunno studia l'italiano.

Rispondete:

Chi va a scuola?
Che cosa è moderno?
Chi è simpatica?

Che cosa è nel supermercato?
Chi è alta?
Che cosa studia l'alunno?

NOTA E RAMMENTA

The definite article in Italian (English *the*) has three forms in the singular:

il is the definite article for masculine nouns beginning with a consonant:

il ragazzo

la is the definite article for feminine nouns beginning with a consonant:

la ragazza

l' is the definite article for masculine and feminine nouns beginning with a vowel:

*l'*amica, *l'*amico

Attività

G. Give the correct form of the definite article:

1. _____ professore parla italiano.
2. _____ casa non è _____ scuola.
3. _____ cassa è nel supermercato.
4. _____ ragazzo compra _____ cibo.
5. Cinzia è _____ amica di Gianni.

5. Grammatica: L'articolo indeterminativo

(*The indefinite article*)

un ragazzo (*a boy*), *una* ragazza (*a girl*),
un'amica (*a girlfriend*)

Frasi modello

Ripetete:

   Paolo è un ragazzo.
   Maria è una ragazza.
   Elena è un'amica di Roberto.

Rispondete:

   Chi è Maria?
   Chi è Elena?
   Chi è Paolo?

NOTA E RAMMENTA

The indefinite article in Italian (English *a* or *an*) has three forms in the singular:

un is the indefinite article for masculine nouns: *un* **ragazzo**

una is the indefinite article for feminine nouns beginning with a consonant: *una* **ragazza**

un' is the indefinite article for feminine nouns beginning with a vowel: *un*'**amica**

Attività

H. Give the correct form of the indefinite article:

1. Gianni è _____ ragazzo.
2. _____ ragazza parla al telefono.
3. Lei va a _____ mercato.
4. La carne è _____ cibo.
5. Gianna è _____ amica di Mario.

6. **Grammatica: Le preposizioni articolate *al, alla***
(Contractions *to the*)

Frasi modello

Ripetete:

>**Vado al mercato.**
>**Vado alla latteria.**

Rispondete:

>**Vai al mercato?**   **Vai alla latteria?**
>**Dove vai?**   **Dove vai?**

Attività

I. Look at the pictures and tell where each person is going:

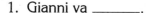

1. Gianni va _____.   2. Marina va _____.

3. Il ragazzo va _____.   4. La ragazza va _____.

NOTA E RAMMENTA

The definite article **il** or **la** combines with the preposition **a** (*to*)
to form contractions:

$$\textbf{a} + \textbf{il} = \textbf{\textit{al}}\ (to\ the)$$

$$\textbf{a} + \textbf{la} = \textbf{\textit{alla}}\ (to\ the)$$

This type of contraction is called **preposizione articolata.**

---

7. Pronuncia

c is pronounced like English *k* when

1. followed by **a, o, u**
   ESEMPI: **c**asa, **c**osa, **cu**cina

2. followed by **h** plus **e, i**
   ESEMPI: **chi, che,** an**che**

c is pronounced like English *ch* when

1. followed by **e, i**
   ESEMPI: **c**ibo, cu**c**ina, o**ce**ano

2. followed by **i** plus **a, o, u**
   ESEMPI: **cia**o, cami**cia,** **ciu**ffo

LEZIONE 9

1. Dialogo

Dove vai?

ROSA: **Ciao, Antonio. Dove vai?**
ANTONIO: **Vado al supermercato.**
ROSA: **Che cosa compri?**
ANTONIO: **Compro carne e latte.**
ROSA: **Non va al supermercato Gina?**
ANTONIO: **No, Gina è a casa.**

Avete capito? Rispondete:

1. **Con chi parla Rosa?**
2. **Dove va Antonio?**
3. **Che cosa compra al supermercato?**
4. **Antonio va con Gina?**
5. **Dov'è Gina?**

81

Attività

A. Parla italiano. Pair yourself with a classmate and reenact the dialog on page 81, adding and changing names, places, activities:

2. Lettura

Al mercato o al supermercato?

Roberto è un ragazzo americano. Oggi compra il cibo. Dove compra il cibo? Va in un supermercato. Nel supermercato va da una corsia all'altra. Poi paga alla cassa.

corsia aisle
altra other
poi then

Mirella è una ragazza di Roma. Anche Mirella oggi compra il cibo. Qualche volta lei va al supermercato, però spesso va al mercato di Piazza Vittorio. Il mercato di Piazza Vittorio è nel centro di Roma.

però but
spesso often

Al mercato, lei va da un posto all'altro: in un posto compra la carne, in un altro posto compra il latte. Compra la carne in macelleria e il latte in latteria.

posto place

Avete capito? Rispondete:

1. **Chi è Roberto?**
2. **Che cosa compra oggi?**
3. **Dove compra il cibo?**
4. **Va da una corsia all'altra?**
5. **Dove paga?**
6. **Che cosa compra Mirella?**
7. **Mirella va al supermercato?**
8. **Dove compra la carne?**
9. **Che cosa compra in latteria?**

Attività

B. Componimento. Write a short paragraph in which you answer the following questions:

1. Compra il cibo Gianni?
2. Dove va?
3. Dove paga?
4. Mirella va a un mercato tradizionale?
5. Dov'è il mercato?
6. Gianni compra la carne in macelleria?
7. Dove compra il latte Mirella?

C. Domande personali

1. Chi compra il cibo, la tua mamma o il tuo papà?
2. Compra il cibo al mercato o al supermercato?
3. Dove paga?
4. Tu vai al supermercato qualche volta?
5. A quale (*which*) supermercato vai?
6. Che cosa compri al supermercato?

3. Lettura culturale

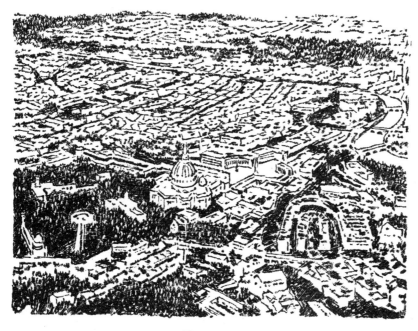

Roma

Roma è la capitale d'Italia. È una città molto antica. A Roma   **antica** *old*
ci sono tre milioni di abitanti.

Il fiume Tevere attraversa la città.   **attraversa** *passes
through*

A Roma ci sono molti monumenti: il Colosseo, il Foro   **molti** *many*
Romano e la Fontana di Trevi.

A Roma c'è anche il Vaticano. Il Vaticano è uno stato   **c'è** *there is*
indipendente. Nel Vaticano ci sono il Papa e la Basilica di
San Pietro.

Attività

D. Impara e parla. Answer the following questions according to the reading:

1. Che cosa è Roma?
2. Com'è Roma?
3. Quanti (*How many*) abitanti ci sono a Roma?
4. Quale fiume attraversa Roma?
5. Che cosa è il Colosseo?

6. Dov'è il Vaticano?
7. Che cosa è il Vaticano?
8. Chi c'è nel Vaticano?
9. Dov'è la Basilica di San Pietro?
10. Che cosa è la Fontana di Trevi?

E. Complete the following sentences:

1. La capitale d'Italia è _____.
2. Roma è una città _____.
3. Gli abitanti di Roma sono _____.
4. Il fiume Tevere _____ Roma.
5. I monumenti antichi di Roma sono: _____, _____ e _____.
6. Il Vaticano è a _____.
7. Il Papa e la Basilica di San Pietro sono nel _____.

4. Ripasso

NOMI	AGGETTIVI	VERBI
l'arancia	altro	andare
la bandiera	antico	comprare
la carne	arancione	pagare
la cassa	azzurro	preparare
il cibo	bianco	
il cielo	blu	PAROLE VARIE
il cognome	giallo	
il colore	marrone	alla
la cucina	moderno	molto
l'erba	nazionale	
il fiore	nero	
il latte	rosa	
la macelleria	rosso	
la mela	tradizionale	
il nome	verde	
l'oceano		
il sole		
il supermercato		
il tramezzino		

ESPRESSIONI E FRASI

Che colore è questo?	Di che colore è la bandiera?
Come si chiama la ragazza?	Lei si chiama Cristina.
Come ti chiami?	Mi chiamo Giorgio.
Il mio nome è Stefano.	Il mio cognome è Rossi.
Dove vai?	Vado a scuola.

Attività

F. Parla italiano. Ask as many questions in Italian as you can about the following pictures; then answer the questions. Next, write down the questions and the answers:

1.

3.

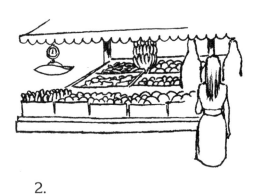

2.

4.

G. **Completa in italiano.** Complete each sentence by inserting an appropriate word of your choice:

1. La scuola è _____.
2. L'alunna è _____.
3. Il supermercato è _____.
4. Il ragazzo è _____.

5. La casa è _____.
6. La professoressa è _____.
7. Il mercato è _____.
8. L'amico è _____.

H. Completa in italiano. Complete each sentence by inserting the correct form of the verb in parentheses:

1. (guardare) La famiglia _____ la televisione.
2. (essere) L'amica di Carlo _____ alta.
3. (essere) Tu _____ americano.
4. (parlare) Paolo _____ italiano a casa.
5. (studiare) Con chi _____ tu?
6. (preparare) Io _____ un tramezzino.
7. (parlare) _____ al telefono lei?
8. (essere) Giuseppe _____ nel salotto con Maria.
9. (comprare) Il signore _____ la carne in macelleria.
10. (andare) Marta _____ a scuola con Mario.

I. Form sentences from the words given:

ESEMPIO: Marcello / guardare / televisione / salotto / Marisa
Marcello guarda la televisione nel salotto con Marisa.

1. Io / andare / mercato / dove / comprare / latte / carne
2. Rosa / parlare / italiano / casa / però / parlare / inglese / scuola
3. Roberto / essere / cucina / dove / preparare / tramezzino
4. Antonio / parlare / molto / telefono / Cristina
5. Telefono / Gianni / essere / salotto
6. Signore / pagare / cassa
7. Elena / andare / supermercato / dove / comprare / cibo

J. Complete each sentence with the correct form of the definite article:

1. _____ alunna è a scuola.
2. _____ ragazzo è in cucina.
3. _____ supermercato è moderno.
4. Preparo _____ tramezzino in cucina.
5. _____ telefono è di Carlo.
6. _____ famiglia è a casa.
7. _____ salotto è bello.
8. _____ famiglia parla italiano.

K. Ask as many questions as possible about each statement. Then answer the questions:

ESEMPIO: **Marcello guarda la televisione nel salotto con Cristina.**
Chi guarda la televisione? — Marcello guarda la televisione.
Che cosa guarda Marcello? — Lui guarda la televisione.
Dove guarda la televisione? — Guarda la televisione nel salotto.
Con chi guarda la televisione? — Guarda la televisione con Cristina.

1. Tommaso parla italiano a scuola con la professoressa.
2. Rosina va al supermercato con Giuseppe e compra la carne.
3. Elena prepara un tramezzino in cucina con Angelo.
4. Il ragazzo parla inglese a casa con la famiglia.

Capitolo 4

LEZIONE 10

LINGUA VIVA

1. Le stagioni (*The seasons*)
2. Che tempo fa? Com'è il tempo? (*How is the weather?*)

LEZIONE 11

STRUTTURA E PRATICA

1. Cosa vuol dire?
2. Vignette
3. Grammatica: Singolare dei verbi in *-ere* e in *-ire*
4. Grammatica: Le preposizioni articolate *nel, nella* (*Contractions* in the)
5. Pronuncia

LEZIONE 12

INTERMEZZO

1. Dialogo: Tutti a tavola!
2. Lettura: In un paese italiano
3. Lettura culturale: Il mio paese
4. Lettura: Il Ponte di Verrazzano
5. Ripasso
6. Controllo della lingua

LEZIONE 10

1. Le stagioni (The seasons)

la primavera

l'estate

l'autunno

l'inverno

Attività

A. Che stagione è?

1.

3.

2.

4.

B. Give the months for each season:

1. estate
2. autunno
3. inverno
4. primavera

2. Che tempo fa? Com'è il tempo? (How is the weather?)

Fa bel tempo.
È bel tempo.

È sereno.
C'è il sole.

Fa caldo.
È caldo.

Fa molto caldo.
È molto caldo.

Fa fresco.
È fresco.

Fa freddo.
È freddo.

Piove.

Tira vento.

È nuvoloso.

Fa brutto / cattivo tempo.
È brutto / cattivo tempo.

Nevica.

NOTA E RAMMENTA

c'è = *there is*

Attività

C. Answer the following questions:

1. Qual è la stagione del football americano?
2. In quale stagione piove molto?
3. Quando nevica?
4. Fa freddo in estate?
5. In quale stagione le foglie (*leaves*) sono rosse e gialle?
6. Che tempo fa in autunno?
7. Che tempo fa oggi?

D. By looking at the pictures below, describe the weather:

ESEMPIO:

Fa freddo.

1.   2.   3.

4.   5.   6.

E. Tell the class what the weather is like in your town during the months listed below:

ESEMPIO: in luglio
In luglio fa caldo.

1. in agosto
2. in settembre
3. in novembre
4. in gennaio

5. in aprile
6. in maggio
7. in ottobre

F. Answer the questions according to the pictures:

ESEMPIO:

Fa brutto tempo?
No, fa bel tempo.

1. Fa freddo?   2. Fa caldo?   3. Piove?

4. Nevica?   5. Fa bel tempo?   6. Fa fresco?

IN ITALIA

In Italy, the Celsius (centigrade) scale is used to measure temperature.

Qual è la temperatura di oggi? (*What is the temperature today?*)

Oggi la temperatura è di trenta gradi sopra zero. (+30°C)

Oggi la temperatura è di cinque gradi sotto zero. (−5°C)

Attività

G. **Sei in Italia.** By looking at the weather chart **(bollettino meteorologico),** tell the temperature and the weather for each of the cities listed below:

ESEMPIO: **A Roma la temperatura è di trentatrè gradi. Fa bel tempo.**

IL TEMPO OGGI			
Bolzano	15	Pescara	30
Verona	31	Roma	33
Trieste	30	Bari	28
Venezia	27	Messina	30
Milano	29	Palermo	35
Torino	21	Catania	32
Cuneo	25	Cagliari	29
Genova	26	Alghero	31
Bologna	34	Falconara	33
Firenze	32	Reggio Calabria	33
Napoli	32	Potenza	30
Perugia	31	L'Aquila	22

1. A Reggio Calabria _____.
2. A Cagliari _____.
3. A Bologna _____.
4. A Napoli _____.
5. A Milano _____.

6. A Torino _____.
7. A Messina _____.
8. A Firenze _____.
9. A Venezia _____.
10. A Genova _____.

IN ITALIA

The Climate

Although Italy is about 700 miles long, the climate is fairly uniform throughout, except in winter.

In spring and summer, much of Italy is dry and hot, with occasional rainstorms. Cool sea breezes bring some relief to coastal areas.

In the fall, cool and moist air from the sea breaks the heat of summer. Winter is cloudy and rainy, with cold and snow in the Alps and the Apennines. Warmer temperatures prevail along the Mediterranean.

In the north, substantial amounts of rain help to raise crops, but farther south the rainfall decreases considerably.

STRUTTURA E PRATICA

1. Cosa vuol dire?

la madre

il padre

la patata

la torta

l'insalata

il giornale

la lettera

il libro

il letto

la sveglia

la camera

la casa

il paese

la verdura

la signora

il signore

la chiesa

la piazza

vendere

suonare

sentire

2. Vignette

La famiglia è a tavola.
La famiglia mangia nella sala
  da pranzo.

Avete capito? Rispondete:

1. Dov'è la famiglia?
2. Dove mangia la famiglia?

Il padre mangia la carne.
La madre mangia l'insalata.
Gina mangia una patata.
Mario mangia la torta.
È un pranzo delizioso.

Avete capito? Rispondete:

1. Che cosa mangia il padre?
2. Che cosa mangia la madre?
3. Che cosa mangia Gina?
4. Che cosa mangia Mario?

Il padre apre il giornale.
Il padre legge il giornale.
Gina scrive una lettera.

Avete capito? Rispondete:

1. Chi apre il giornale?
2. Chi legge il giornale?
3. Che cosa scrive Gina?

Gina dorme nel letto.
Il letto è nella camera.
La sveglia suona.
Gina non sente la sveglia.
E dorme, dorme....

Avete capito? Rispondete:

1. Dove dorme Gina?
2. Dov'è il letto?
3. Che cosa suona?

La casa è piccola.
La casa è in un paese.
Maria vive nella casa.

La signora vende la verdura.
Anche il signore vende la
   verdura.
Vende la verdura al mercato.
Il mercato è nella piazza.
Anche la chiesa è nella piazza.

Avete capito? Rispondete:

1. **Com'è la casa?**
2. **Dov'è la casa?**
3. **Chi vive nella casa?**

Avete capito? Rispondete:

1. **Dov'è la signora?**
2. **Dov'è la chiesa?**
3. **Che cosa vende il signore?**

Attività

A. Vero o falso? If your answer is **falso,** correct the statement:

1. Gina dorme nella sala da pranzo.
2. Il letto è nella camera.
3. Il padre legge il giornale.
4. Gina scrive il giornale.
5. La signora vende la verdura nella chiesa.
6. Il libro suona.

B. Complete each sentence with an appropriate word:

1. La famiglia mangia nella _____.
2. La _____ è nella sala da pranzo.
3. Il _____ è delizioso.
4. Carlo _____ il giornale.
5. Il padre mangia _____, _____ e _____.

6. La ragazza _____ in una casa piccola.
7. Silvia scrive una _____.
8. Gina non _____ la sveglia.
9. Mario _____ nella camera.
10. Il signore _____ la verdura al _____.

C. Find the word that does not belong in the group:

1. (a) patata   (b) carne   (c) latte   (d) mercato
2. (a) libro   (b) letto   (c) giornale   (d) lettera
3. (a) pranzo   (b) tavola   (c) chiesa   (d) sala da pranzo
4. (a) casa   (b) piazza   (c) cucina   (d) salotto

D. Parla italiano. Tell what the persons in the pictures are doing:

1.

2.

3.

3. Grammatica: Singolare dei verbi in *-ere* e in *-ire*
Asking and saying what people are doing

1. Frasi modello

   Ripetete:

Il padre legge il giornale.	Il ragazzo dorme.
Gina scrive una lettera.	Lui non sente la sveglia.

   Rispondete:

Legge il giornale il padre?	Dove vive la ragazza?
Legge molto il ragazzo?	Dorme Giovanni?
Chi legge il giornale?	Dove dorme il ragazzo?
Scrive una lettera Gina?	Sente la sveglia lui?
Riceve una lettera Teresa?	Apre il giornale il padre?
Vive a Roma Marisa?	Apre il libro l'alunno?

2. Frasi modello

   Ripetete:

Tu vendi la verdura.	Tu dormi sul letto.
Tu leggi il giornale.	Tu apri il giornale.
Tu vivi a Firenze.	Tu senti la sveglia.

   Imitate l'esempio:

   ESEMPIO: **Gina vende la verdura.**
   Anche tu vendi la verdura.

Lei legge il giornale.	Anna riceve una lettera.
Gianni vive a Roma.	Il ragazzo dorme.
L'alunno legge un libro.	Lui non sente la sveglia.

3. Frasi modello

   Ripetete:

Io leggo il libro.	Io dormo nella camera.
Io scrivo una lettera.	Io sento la sveglia.

Rispondete:

Leggi il libro?	Che cosa vendi?
Leggi il giornale?	Apri il libro?
Scrivi una lettera?	Dove dormi?
Ricevi una lettera?	Dormi molto?
Vivi a Roma?	Senti la sveglia?

NOTA E RAMMENTA

In addition to the verbs of the first conjugation (**-are**), there are two other conjugations: verbs ending in **-ere** belong to the second conjugation; verbs ending in **-ire** belong to the third conjugation.

Note that the singular endings of **-ere** and **-ire** verbs are the same:

	leg*gere*	scriv*ere*	ricev*ere*	vend*ere*
io	leg**go**	scriv**o**	ricev**o**	vend**o**
tu	leg**gi**	scriv**i**	ricev**i**	vend**i**
lui / lei	leg**ge**	scriv**e**	ricev**e**	vend**e**

	apr*ire*	dorm*ire*	sent*ire*
io	apr**o**	dorm**o**	sent**o**
tu	apr**i**	dorm**i**	sent**i**
lui / lei	apr**e**	dorm**e**	sent**e**

Now let us look at the singular endings of one verb from each conjugation:

	guard*are*	viv*ere*	dorm*ire*
io	guard**o**	viv**o**	dorm**o**
tu	guard**i**	viv**i**	dorm**i**
lui / lei	guard**a**	viv**e**	dorm**e**

What is the ending that is used with **io?**

Is it the same for all three conjugations?

What is the ending used with **tu?**

Is it the same for all three conjugations?

Attività

E. Complete each sentence with the correct form of the verb in parentheses:

1. (dormire) Carlo _____ molto.
2. (leggere) Io _____ il giornale.
3. (vivere) La ragazza _____ a New York.
4. (ricevere) Io _____ una lettera.
5. (leggere) Tu _____ il giornale?
6. (vendere) Lui _____ la verdura.
7. (leggere) Michele _____ un libro.
8. (vivere) Tu _____ a Roma?
9. (sentire) Tu _____ la sveglia?
10. (aprire) Chi _____ il libro?
11. (vivere) Dove _____ lei?
12. (vendere) Che cosa _____ lei?

F. Complete each sentence with a verb that makes sense:

1. Io _____ una patata.
2. Enrico _____ il giornale.
3. Io _____ in una casa moderna.
4. Il ragazzo _____ nel letto.
5. Elena _____ in una casa piccola.
6. Lui _____ la torta.
7. Che cosa _____ la famiglia al mercato?
8. Io _____ una lettera a un'amica.
9. L'amico di Maria _____ a Palermo.
10. Che libro _____ tu?
11. Lei non _____ nella sala da pranzo?
12. Tu _____ in un paese piccolo.
13. La madre _____ carne, patata e insalata.
14. Chi non _____ la sveglia?
15. Che cosa _____ nella lettera tu?

G. Ask as many questions as you can using the following verbs. Then have your classmates answer your questions:

leggere	vendere	sentire	ricevere	dormire
comprare	vivere	scrivere	aprire	guardare

H. Answer the following questions with a complete sentence:

1. Leggi un libro?
2. Dormi?
3. Dove vivi?

4. Che cosa vendi al mercato?
5. Scrivi una lettera?

4. Grammatica: Le preposizioni articolate *nel, nella*
(Contraction *in the*)
Indicating place

Frasi Modello

Ripetete:

Guardo la televisione nel
  salotto.
La latteria è nel mercato.

Lui dorme nella camera.
La chiesa è nella piazza.
Maria vive nella casa.

NOTA E RAMMENTA

1. The definite article **il** or **la** combines with the preposition **in** (*in*) to form contractions:

   in + il = *nel*
   in + la = *nella*

   This type of contraction is called **preposizione articolata**.

2. To express *in* (a city or town) use **a** in Italian:

   Vivo *a* Roma.
   Sono *a* New York.

   To express *in* (a country, region, or state) use **in** in Italian:

   Sono *in* America.
   Vivo *in* Italia.

Rispondete:

Dove guardi la televisione?   Dov'è la tavola?
Dov'è la latteria?   Dov'è la casa?
Dove dorme il ragazzo?   Dove prepari un tramezzino?
Dov'è la chiesa?   Dove dormi?
Dove vive Maria?   Dove mangi?
Dov'è la televisione?

Attività

I. Insert in each sentence the appropriate contraction or preposition (**in, a, nel, nella**):

1. Io sono _____ salotto.
2. La chiesa è _____ piazza.
3. La famiglia non mangia _____ sala da pranzo, ma mangia _____ cucina.
4. Lui dorme _____ camera.
5. La cassa è _____ supermercato.
6. Mario vive _____ Palermo.
7. Roma è _____ Italia.
8. Giorgio vive _____ Los Angeles.
9. Anche Maria vive _____ paese di Huntington.
10. Il Signor Morini vende il latte _____ latteria.

J. **Parla italiano.** Indicate where you do all the actions listed below:

1. Dove vivi?   5. Dove parli italiano?
2. Dove studi?   6. Dove vendi la verdura?
3. Dove vai in vacanza?   7. Dove leggi il giornale?
4. Dove guardi la televisione?   8. Dove sei?

5. Pronuncia

g is pronounced like English *g* in *guy, girl* when:

1. followed by **a, o, u:**
   ESEMPI: ra**g**azza, la**g**o, **g**uscio.

2. followed by **h** plus **e, i:**
   ESEMPI: al**ghe**, ma**ghi**, bor**ghe**sia.

g is pronounced like English *g* in *ginger* when:

1. followed by **e, i:**
   ESEMPI: Gina, gente.

2. followed by **i** plus **a, o, u:**

   ESEMPI: **Gia**como, **giù, gio**rno.

LEZIONE 12

1. Dialogo

Tutti a tavola!

PADRE: **Tutti a tavola!**   **tutti** *all, everybody*
MARCO: **Dove? Nella cucina o nella sala da pranzo?**
PADRE: **Nella sala da pranzo.**

A tavola

PADRE: **È un pranzo delizioso!**
SILVIA: **Io mangio solo l'insalata.**   **solo** *only*
MADRE: **Perchè?**
SILVIA: **Perchè vado a una festa con Giorgio.**   **festa** *party*
MARCO: **Io mangio la carne, la verdura e la torta.**
MADRE: **Bravo, Marco!**

Avete capito? Rispondete:

1. **Va a tavola la famiglia?**   4. **Che cosa mangia Silvia?**
2. **Dove mangia la famiglia?**   5. **Dove va Silvia?**
3. **Com'è il pranzo?**   6. **Che cosa mangia Marco?**

NOTA E RAMMENTA

Perchè means both *why(?)* and *because.*

ESEMPIO: *Perchè* **non mangi il pranzo?**
Perchè **vado a una festa con Giorgio.**

Attività

A. **Parla italiano.** Pair yourself with a classmate and create your own dialogue "At the table."

2. Lettura

In un paese italiano

Gianna è una ragazza italiana. Vive vicino a Roma. Il paese è piccolo e anche la casa di Gianna è piccola. La famiglia di Gianna mangia nella cucina perchè nella casa non c'è una sala da pranzo.

vicino a *near*

Dopo pranzo Gianna studia l'inglese e poi guarda la televisione. Anche la madre di Gianna guarda la televisione, mentre il padre legge il giornale. Poi Gianna va a dormire nella sua camera.

pranzo *lunch*

mentre *while*
sua *her*

Il sabato Gianna non va a scuola, ma va al mercato con la famiglia. Il mercato è nella piazza del paese. Al mercato la madre di Gianna vende la verdura che il padre coltiva nell'orto vicino alla casa.

ma *but*

che *that*
coltiva *cultivates*
nell'orto *in the garden*

La domenica Gianna va in chiesa con la famiglia. La chiesa è nella piazza dove c'è il mercato. Davanti alla chiesa Gianna parla con un'amica.

davanti a *in front of*

Avete capito? Rispondete:

1. **Chi è Gianna?**
2. **Dov'è il paese di Gianna?**
3. **Dove mangia la famiglia di Gianna?**
4. **Com'è la casa di Gianna?**

5. **Che cosa studia Gianna dopo pranzo?**
6. **Chi legge il giornale?**
7. **Dove va Gianna il sabato?**
8. **Chi vende la verdura al mercato?**
9. **Dov'è la chiesa?**
10. **Con chi parla Gianna davanti alla chiesa?**

Attività

B. Complete the following sentences based on the **lettura:**

1. Gianna vive in un _____.
2. Il paese è _____.
3. Nella casa di Gianna non c'è _____.
4. Dopo pranzo Gianna guarda _____.
5. Gianna dorme _____.
6. Il sabato Gianna non va a _____.
7. Il mercato è nella _____.
8. La domenica Gianna va _____.

NOTA E RAMMENTA

The definite article is used in Italian with the days of the week
to express English *on:*

ESEMPIO: *il* **sabato** *on Saturday*
la **domenica** *on Sunday*

Attività

C. Parla italiano. Tell the class what you do on the different days of the
week:

ESEMPIO: **La domenica vado in chiesa.**
Il lunedì _____

D. Componimento. Write a short paragraph in which you answer the
following questions:

1. Dove vive la ragazza italiana?
2. Com'è la casa?

3. Perchè la ragazza non mangia nella sala da pranzo?
4. Dove mangia?
5. Dove guarda la televisione?
6. Dove dorme?
7. Perchè Gianna non va a scuola il sabato?
8. Che cosa vende al mercato la madre di Gianna?
9. Chi coltiva la verdura? Dove coltiva la verdura?
10. La casa di Gianna è vicino alla piazza?
11. Che cosa c'è nella piazza?

E. Domande personali:

1. Mangi nella sala da pranzo o nella cucina?
2. Chi prepara il cibo a casa?
3. Dopo pranzo vai nel salotto?
4. Studi nel salotto?
5. Guardi la televisione?
6. Leggi il giornale?
7. Parli al telefono con un amico o un'amica?
8. Parli italiano?
9. Dove vivi?
10. Dove vai il sabato?
11. Che cosa mangi?

3. Lettura culturale

Il mio paese

Il mio paese si chiama Greve in Chianti. È un piccolo paese vicino a Firenze, con soli tremila abitanti.

mio *my*
con soli *with only*

Nel mio paese c'è una grande piazza, un giardino pubblico, la scuola e l'ospedale. Nella piazza c'è la chiesa, il Palazzo Comunale e il monumento di Giovanni da Verrazzano, l'esploratore del porto di New York. Il sabato, nella piazza, c'è il mercato.

giardino pubblico
  public garden
Palazzo Comunale
  Town Hall

Il mio paese si trova al centro della zona Chianti, il nome del famoso vino, ed è attraversato dal fiume Greve: per questo il mio paese si chiama Greve in Chianti.

vino *wine*
per questo *for this reason*

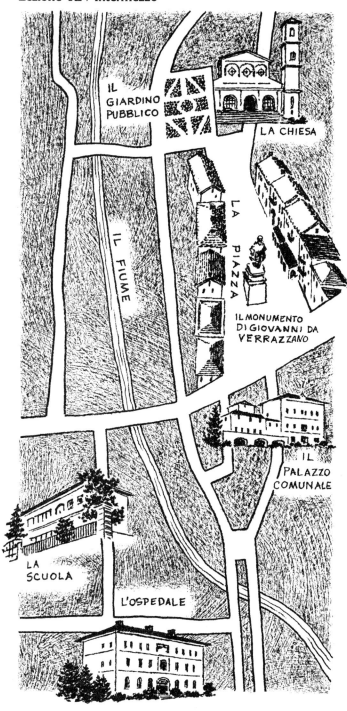

IL GIARDINO PUBBLICO

LA CHIESA

LA PIAZZA

IL FIUME

IL MONUMENTO DI GIOVANNI DA VERRAZZANO

IL PALAZZO COMUNALE

LA SCUOLA

L'OSPEDALE

Attività

F. **Impara e parla.** Answer the questions according to the reading:

1. Come si chiama il mio paese?
2. A quale grande città è vicino?
3. Com'è il mio paese?
4. Quanti abitanti ci sono?
5. Che cosa c'è nel mio paese?
6. Che cosa c'è nella piazza?
7. Chi è Giovanni da Verrazzano?
8. Che cosa c'è sabato nel mio paese?
9. Dov'è il mercato?
10. Come si chiama il fiume che attraversa il mio paese?
11. Come si chiama la zona?
12. Perchè il mio paese si chiama Greve in Chianti?

IN ITALIA

Christmas and New Year

Christmas **(Natale)** and New Year **(Capodanno)** are important holidays in Italy, just as they are in the United States. On Christmas Eve **(la Vigilia di Natale),** families light the Christmas log **(il Ceppo)** and play **Tombola** (similar to Bingo) before going to Midnight Mass **(la Messa di Mezzanotte).** A Christmas tree **(l'Albero di Natale)** and a Nativity Scene **(il Presepio)** are customary. Children hang long socks near the fireplace so that Santa Claus **(Babbo Natale)** can fill them with presents. On Christmas Day, gifts are exchanged.

On New Year's Eve **(la Vigilia di Capodanno),** the family gathers around the festive dinner table to celebrate the arrival of the New Year.

In some parts of Italy, the Feast of Epiphany (January 6) is still marked by children hanging their socks near the fireplace for the annual visit of **La Befana,** an ugly but kind witch, who fills the socks with gifts. This custom is fast disappearing because Epiphany is no longer observed as a holiday.

4. Lettura

Il Ponte di Verrazzano

All'entrata del porto di New York c'è il Ponte di Verrazzano.

Giovanni da Verrazzano fu il primo navigatore europeo a esplorare la baia di New York. Verrazzano è il nome della villa, vicino a Greve in Chianti, dove Giovanni è nato.

Il ponte di New York fu dedicato a Giovanni da Verrazzano per onorare il grande esploratore fiorentino.

il ponte *bridge*

all'entrata *at the entrance*
fu *was*
navigatore *navigator*
baia *bay*

fu dedicato *was dedicated*
per *in order to*

Avete capito? Rispondete:

1. Dov'è il Ponte di Verrazzano?
2. Chi è Giovanni da Verrazzano?
3. Che cosa è Verrazzano?
4. Perchè il ponte si chiama Verrazzano?

5. Ripasso

NOMI	AGGETTIVI	VERBI	PAROLE VARIE
l'autunno	caldo	aprire	davanti a
la camera	cattivo	dormire	in
la chiesa	delizioso	leggere	nel
l'estate	freddo	mangiare	nella
la festa	fresco	nevicare	perchè
il giornale	nuvoloso	piovere	sopra
l'insalata	piccolo	ricevere	sotto
l'inverno	sereno	scrivere	vicino a
il letto		sentire	
il libro		suonare	
la madre		vendere	
il padre		vivere	
il paese			
la patata			
la piazza			
il pranzo			
la primavera			
la sala da pranzo			
il sole			
la stagione			
la sveglia			
la tavola			
il tempo			
la torta			
il vento			
la verdura			

ESPRESSIONI E FRASI

Che stagione è?	È inverno.
Che tempo fa?	È primavera.
Fa caldo.	È estate.
Fa fresco.	È autunno.
Fa freddo.	Tira vento.
Fa bel tempo.	Piove.
Nevica.	È nuvoloso.
Il sabato vado al mercato.	La domenica vado in chiesa.
C'è il sole.	Qual è la temperatura?

Attività

G. Parla italiano. Tell as much as you can in Italian about the illustrations below:

1.

2.

H. Answer each question with a complete sentence:

1. Dove guarda la televisione la famiglia?
2. Dove studia l'alunno?
3. Dove prepara il tramezzino l'alunno?
4. Dove compra la carne Maria?
5. Dove mangia la famiglia di Silvia?
6. Dove vende la verdura Gianna?
7. Dove coltiva la verdura il padre?
8. Dove compra il latte Marco?

I. **Ascolta l'italiano.** Tell in which season the things described by your teacher generally happen. Choose **la primavera, l'estate, l'autunno,** or **l'inverno.** You may choose more than one season for a description.

J. **Completa in italiano.** Complete with words that fit both logically and structurally:

Maria è una _____ italiana. Vive in un piccolo _____ vicino a Roma. Lei _____ in una casa con il padre e la madre. Nella casa non c'è la _____ e la famiglia mangia in _____. Maria parla _____. Lei studia l'italiano a _____. Il sabato Maria va con la famiglia al _____; la domenica va in _____.

K. **Impara il vocabolario.** Choose the word whose meaning completes the statements:

1. Il sole è
   (a) nero   (b) giallo   (c) verde   (d) azzurro
2. Maria legge
   (a) una cucina   (b) una banana   (c) una lettera   (d) una piazza
3. Lui vive in
   (a) un paese   (b) un letto   (c) un fiore   (d) un tramezzino
4. Giorgio va a
   (a) cassa   (b) scuola   (c) cucina   (d) piazza
5. In estate
   (a) nevica   (b) fa fresco   (c) fa freddo   (d) fa caldo
6. Il padre mangia
   (a) l'insalata   (b) la lettera   (c) la bandiera   (d) la latteria
7. Tu senti
   (a) l'erba   (b) la macelleria   (c) la camera   (d) la sveglia
8. Il cielo è
   (a) antico   (b) sereno   (c) marrone   (d) tradizionale

L. **Impara il vocabolario.** Choose the right answer to the following questions:

1. Di che colore è la bandiera americana?
   (a) Bianca, blu e azzurra.   (b) Bianca, rossa e blu.   (c) Bianca, verde e rosa.
2. Come ti chiami?
   (a) Si chiama Maria.   (b) Ti chiami Cristina.   (c) Mi chiamo Giorgio.

3. Che tempo fa in inverno?
   (a) Fa freddo.   (b) Fa caldo.   (c) Fa bel tempo.
4. Quando fa brutto tempo?
   (a) Quando piove.   (b) Quando c'è il sole.   (c) Quando il cielo è sereno.

6. Controllo della lingua

M. Identifying people. Answer these questions:

1. Come ti chiami?
2. Come si chiama la professoressa?
3. Dove vivi?
4. Che cosa studi?
5. Di dove sei?
6. Di che nazionalità sei?

N. Identifying colors. Answer these questions:

1. Di che colore è il sole?
2. Di che colore è la mela?
3. Di che colore è il cielo?
4. Di che colore è l'erba?
5. Di che colore è l'arancia?
6. Di che colore è il latte?
7. Di che colore è la bandiera italiana?
8. Di che colore è la carne?

O. Spelling. Say the letters that form these words in Italian:

dicembre	mercoledì	studiare
giorno	anche	vicino
scrivere	stagione	piovere

P. Identifying seasons. Answer the question:

Che stagione è?

1.

2.

3.

4.

Q. Talking about the weather. Answer the question:

Che tempo fa?

1.   2.   3.   4.

R. Saying where you are going on the different days of the week. Say in Italian that you are going

1. to school on Monday.
2. home on Tuesday.
3. to the dairy on Wednesday.
4. to Rome on Thursday.
5. to the village on Friday.
6. to the market on Saturday.
7. to church on Sunday.

S. Saying where you are doing things. Answer in Italian:

1. Dove vivi?
2. Dove studi?
3. Dove guardi la televisione?
4. Dove parli italiano?

5. Dove vendi il latte?
6. Dove leggi il giornale?
7. Dove sei?

T. Asking questions for information. How do you say in Italian?

1. Do you go to the market?
2. What do you buy in the market?
3. What do you eat?
4. Do you read the newspaper?

5. Do you write a letter?
6. Do you receive a letter?
7. Where do you live?

Capitolo 5

LEZIONE 13

LINGUA VIVA

1. **In classe** (*In the classroom*)
2. **Come stai? Come va?** (*How are you?*)
3. **Che cosa hai?** (*What is the matter with you?*)

LEZIONE 14

STRUTTURA E PRATICA

1. Cosa vuol dire?
2. Vignette
3. Grammatica: Singolare del verbo *avere* (*to have*)
4. Grammatica: Plurale del verbo *avere*
5. Grammatica: Il verbo *stare* (*to be / to stay*)
6. Pronuncia

LEZIONE 15

INTERMEZZO

1. Dialogo: Che cosa hai?
2. Lettura: Povera Cristina!
3. Lettura culturale: La Sicilia
4. Ripasso

LEZIONE 13

1. In classe (In the classroom)

1. il banco	7. la sedia	13. la porta
2. la cattedra	8. la parete	14. la finestra
3. l'orologio	9. la lavagna	15. la carta geografica
4. il gesso	10. il quaderno	16. la cimosa
5. la matita	11. il cestino	17. il foglio
6. il dizionario	12. la gomma	18. la penna

Attività

A. Identify the objects in the pictures. Follow the model:

ESEMPIO:

Che cosa è?
È la porta.

1.

5.

9.

2.

6.

10.

3.

7.

11.

4.

8.

12.

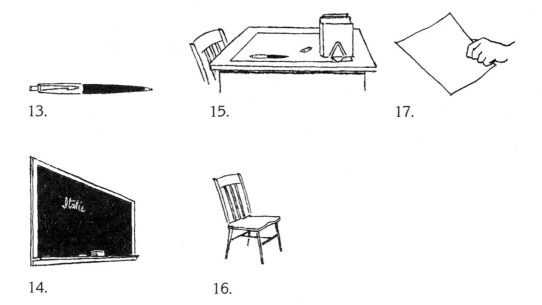

13.   15.   17.

14.   16.

B. Look around in the classroom and tell what colors you see:

ESEMPIO: **La lavagna è nera.**

2. Come stai? Come va? (How are you?)

a. **Come stai, Adriana? Come va, Adriana?**

Bene, grazie.
Non c'è male, grazie.
Va bene, grazie.
Sto bene, grazie.

Molto bene, grazie.
Sto molto bene, grazie.
Va molto bene, grazie.

Male.
Sto male.
Va male.

Molto male.
Va molto male.
Sto molto male.

Così così.

b. Come sta lui?

Sta male, ha un raffreddore.

Sta male, ha mal di testa.

Sta male, ha la febbre; ha l'influenza.

c. Come sta lui / lei?

È inverno. Nevica.
Marina ha freddo.

Giorgio è nel deserto.
Ha caldo.

Il signore ha sete.   Michele ha fame.

La ragazza ha sonno.   Il ragazzo corre perchè ha paura.

Attività

C. Using the picture clues, complete each sentence with the appropriate
word:

1. Lui ha _____.   2. Lei ha _____.

3. Lui ha _____.

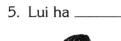

5. Lui ha _____.

4. Lei ha _____.

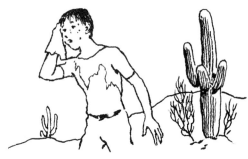

6. Lui ha _____.

D. Complete each sentence with an expression that makes sense:

1. In inverno lui _____.
2. Non vado a mangiare. Non _____.
3. In estate lei _____.
4. Alle dieci di sera mia madre va a letto. Lei _____.

E. Tell an Italian friend what your American classmates are saying:

ESEMPIO: *I am hungry.*
Ho fame.

1. I am not hungry, I am scared.
2. You are thirsty.
3. She is not warm, she is cold.
4. Are you sleepy?
5. Are you warm?

F. Parla italiano. Ask a classmate next to you how he/she is. He/she will ask in turn the classmate next to him/her:

ESEMPIO: First student: **Come stai?**
Second student: **Io sto male; ho mal di testa.**

3. Che cosa hai? (What is the matter with you?)

Ho mal di testa.

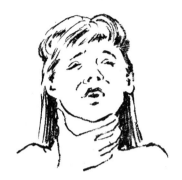

Ho mal di gola.

Ho mal di denti.

Ho mal di orecchi.

Ho mal di schiena.

Ho mal di stomaco.

DIALOGO

PAOLO: **Ciao, Piero. Come stai?**
PIERO: **Non sto bene oggi. Sono malato.**
PAOLO: **Mi dispiace. Che cosa hai?**   **mi dispiace** *I am sorry*
PIERO: **Ho freddo, sono stanco, ho mal di testa e ho sonno.**
PAOLO: **Stai così male? Hai anche la febbre?**
PIERO: **Credo di sì.**   **credo di sì** *I believe so*
PAOLO: **Perchè non vai dal dottore?**
PIERO: **Oggi è domenica e lo studio del dottore è chiuso.**   **studio** *office*
PAOLO: **È vero. Allora prendi due aspirine e vai a letto.**   **chiuso** *closed*
                                                                allora *then*
                                                                prendi *take*

Attività

G. Complete the following paragraph according to the dialog above:

Piero non _____ molto bene. È _____. Ha mal di _____. Ha _____
e _____. Crede di avere la _____. Non va dal dottore perchè oggi
è _____ e lo _____ del dottore è chiuso. Prende due _____ e va
a _____.

H. Complete the following conversation according to the instructions:

1. Come stai?   (Say that you don't feel well.)
2. Mi dispiace. Che cosa hai?   (Say what's wrong with you.)
3. Hai anche la febbre?   (Respond affirmatively.)
4. Vai a letto?   (Say what you are going to do.)

STRUTTURA E PRATICA

1. Cosa vuol dire?

la bicicletta   l'automobile   la motocicletta

la strada   l'orologio   il dottore

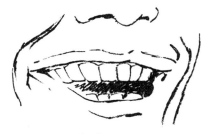

la bocca

2. Vignette

Lidia e Tina sono nel parco.
Loro hanno una bicicletta.

Avete capito? Rispondete:

1. Chi è nel parco?
2. Dove sono?
3. Che cosa hanno?
4. Chi ha una bicicletta?

Il Signor Rossi è davanti alla
  casa.
Lui ha un'automobile.

Avete capito? Rispondete:

1. Chi è davanti alla casa?
2. Che cosa ha il Signor Rossi?
3. Chi ha un'automobile?

Carlo è nella strada.
Lui ha una motocicletta.

Avete capito? Rispondete:

1. Dov'è Carlo?
2. Che cosa ha Carlo?
3. Chi ha una motocicletta?

Tu e io abbiamo una macchina
  fotografica.
Noi abbiamo una macchina
  fotografica.

Avete capito? Rispondete:

1. Chi ha una macchina
   fotografica?
2. Che cosa abbiamo tu e io?

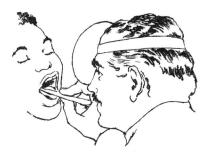

Vincenzo: **Hai un orologio tu?**
Barbara: **No, io non ho un orologio.**

Piero non sta bene.
È malato. Sta male.
Ha mal di testa e ha il raffreddore.
È nello studio del dottore.
Piero apre la bocca.
Il dottore esamina la gola.
Forse (*perhaps*) **Piero ha la febbre.**
Forse ha l'influenza.

Avete capito? Rispondete:

1. **Ha un orologio Vincenzo?**
2. **Chi non ha un orologio?**

Avete capito? Rispondete:

1. **Come sta Piero?**
2. **Chi ha mal di testa?**
3. **Chi ha il raffreddore?**
4. **Dov'è Piero?**
5. **Chi apre la bocca?**

Attività

A. Answer each question based on the model sentence:

1. Lidia e Tina hanno una bicicletta.
   Che cosa hanno Lidia e Tina?
   Chi ha una bicicletta?
2. Piero non sta bene.
   Come sta Piero?
   Chi non sta bene?
3. Il dottore esamina la gola.
   Che cosa esamina il dottore?
   Chi esamina la gola?
4. Piero apre la bocca.
   Chi apre la bocca?
   Che cosa apre Piero?

B. Someone makes several statements, but you do not understand them completely. Ask questions substituting the appropriate question word for the bold expression:

ESEMPIO: Piero apre **la bocca.**
Che cosa apre Piero?

1. Lui parla **con il dottore.**
2. **Mario** ha il raffreddore.
3. Luisa non **sta bene.**
4. Il dottore esamina **la gola.**
5. Qualche volta Giorgio ha **la febbre.**

C. Complete each sentence with an appropriate word:

1. Carlo _____ una motocicletta.
2. Gianna ha _____ di testa.
3. Piero _____ la bocca.
4. La ragazza è nello _____ del dottore.
5. Tu non _____ un orologio.
6. Il dottore esamina la _____.
7. Aldo non sta _____. Sta _____, ha il _____.

3. Grammatica: Singolare del verbo *avere* (to have)
Indicating what one has

1. Frasi modello

Ripetete:

Il signore ha un'automobile.   Lui ha un orologio.
Maria ha una bicicletta.

Rispondete:

Chi ha un'automobile?   Chi ha fame?
Chi ha una bicicletta?   Ha un'amica Giorgio?
Chi ha un orologio?   Ha la febbre il ragazzo?

2. Frasi modello

Ripetete:

Tu hai paura.   Tu hai una bella casa.
Tu hai sonno.

Imitate l'esempio:

ESEMPIO: **Luisa ha paura.**
Anche tu hai paura.

Gianni ha sonno.   La mamma ha una torta.
Lui ha fame.   La ragazza ha una bella casa.
Lei ha caldo.   Luigi ha una macchina fotografica.
Regina ha il giornale.

3. Frasi modello

Ripetete:

Io ho fame.   Io ho caldo.
Io ho sete.   Io non ho freddo.

Rispondete:

Hai fame?   Hai freddo?
Hai sete?   Hai l'influenza?
Hai caldo?   Hai una macchina fotografica?

NOTA E RAMMENTA

The verb **avere** is irregular and is used with many idiomatic expressions. Learn the following singular forms:

io *ho*
tu *hai*
lui/lei *ha*

Remember that the letter **h** is silent.

Attività

D. Complete the sentences with the correct forms of **avere:**

1. Io _____ il raffreddore.
2. Il dottore _____ uno studio.
3. Gina _____ il giornale.
4. Tu _____ il telefono.
5. Che cosa _____ il ragazzo?
6. Io _____ una bicicletta.

7. La famiglia _____ una casa nel paese.
8. Tu _____ mal di testa.
9. Tu _____ anche la febbre.
10. Io non _____ un'automobile.

4. Grammatica: Plurale del verbo *avere*
Indicating what two or more people have

1. Frasi modello

Ripetete:

Marco e Teresa hanno una bicicletta. Loro hanno una bicicletta.
Lidia e Silvia hanno un orologio. Loro hanno un orologio.
Lui e lei hanno una bella casa. Loro hanno una bella casa.

Rispondete:

Chi ha una bicicletta?   Hanno il libro d'italiano loro?
Chi ha un orologio?   Hanno una motocicletta loro?
Chi ha una bella casa?   Hanno fame Lidia e Silvia?

2. Frasi modello

Ripetete:

Tu e Marina avete sonno. Voi avete sonno.
Tu e lui avete paura. Voi avete paura.
Tu, Andrea e Gina avete una sveglia. Voi avete una sveglia.

Imitate l'esempio:

ESEMPIO: Loro hanno fame.
         Anche voi avete fame.

Le ragazze hanno paura.
Loro hanno una sveglia.
I ragazzi hanno sonno.

Loro hanno il libro d'italiano.
Loro hanno una macchina fotografica.
I ragazzi hanno una motocicletta.

3. Frasi modello

Ripetete:

Lui e io abbiamo il raffreddore. Noi abbiamo il raffreddore.
Tu e io abbiamo una macchina fotografica. Noi abbiamo una
macchina fotografica.
Tu, Giuseppe e io abbiamo un libro. Noi abbiamo un libro.

NOTA E RAMMENTA

You already know the singular endings of **avere:**

io *ho*
tu *hai*
lui/lei *ha*

Now learn the plural endings:

noi *abbiamo*
voi *avete*
loro *hanno*

In Italian there are two pronouns corresponding to English *you:*

tu   when speaking to one person
voi   when speaking to two or more persons

As in English, a compound subject can be replaced by the plural pronouns **noi** and **voi:**

tu e io = *noi*   tu e lui = *voi*
Mario e io = *noi*   Tu e Grazia = *voi*

The third plural pronoun **loro** replaces both masculine and feminine subjects or a combination of them:

Luisa e Gina = *loro*   **Luisa e Aldo** = *loro*
Luisa, Tina e Giorgio = *loro*   **Giorgio, Paolo e Gina** = *loro*

Rispondete:

Avete il raffreddore?   Avete un libro?
Chi ha il raffreddore?   Chi ha un libro?
Avete la macchina   Avete un orologio?
  fotografica?   Avete un'automobile?
Chi ha la macchina
  fotografica?

Attività

E. Complete each sentence with the appropriate form of **avere:**

1. Noi _____ il raffreddore.
2. Voi _____ il telefono.
3. Chi _____ la macchina fotografica?
4. Perchè loro non _____ la bicicletta?
5. Gina e Lidia _____ mal di testa.
6. Tu e io _____ la febbre.
7. Tu e Giuseppe non _____ un'automobile.
8. Loro _____ il giornale.
9. Giorgio, Alberto e Fiorenza _____ il libro d'italiano.
10. Noi non _____ sonno.

NOTA E RAMMENTA

1. A question with the **noi** form of a verb is answered with either a **voi** or a **noi** form of a verb:

   Che cosa abbiamo *noi*?   *Noi* abbiamo un libro.
                                   Voi avete un libro.

2. A question with the **voi** form of a verb is answered with the **noi** form of a verb:

   Che cosa avete *voi?*   *Noi* abbiamo un raffreddore.

3. A question with the **loro** form of a verb is answered with the **loro** form of a verb:

   Che cosa hanno *loro?*   *Loro* hanno una bicicletta.

F. Complete each sentence with the appropriate pronoun:

1. _____ avete sonno.
2. _____ hanno caldo.
3. _____ non abbiamo paura.
4. _____ hai sonno.

5. _____ hanno fame.
6. _____ avete una bella casa.
7. _____ abbiamo un orologio.
8. _____ non hanno un orto.

Attività

G. Parla italiano. Answer the question **Chi ha un dizionario?**

ESEMPIO: **Roberto**
Roberto ha un dizionario.

1. Lucia
2. Tu
3. Il Signor Rubino

4. Voi
5. Loro

H. Parla italiano. Ask your friends if they have the following things:

ESEMPIO: **Hai una macchina fotografica?**

1. una bicicletta
2. una televisione
3. una sveglia
4. un'automobile

5. una motocicletta
6. un orologio
7. un tramezzino
8. un giornale

5. Grammatica: Il verbo stare (*to be/to stay*)
Expressing state of health

1. Frasi modello

Ripetete:

Adriana sta bene. Lei sta bene.
Franco e Marina stanno bene. Loro stanno bene.

Rispondete:

Sta bene Adriana?
Sta bene Marina?
Come sta Marina?

Come sta Franco?
Come stanno loro?

2. Frasi modello

Ripetete:

Tu stai male.
Voi state bene.
Tu e Cristina state molto bene.

Imitate gli esempi:

Esempi: **Lui sta male.**
Anche tu stai male.

Loro stanno bene.
Anche voi state bene.

Lucia sta molto bene.
Franco e Maria stanno male.
Giorgio sta bene.

3. Frasi modello

Ripetete:

Io sto male.
Anna e io stiamo bene.
Noi stiamo molto bene.

Rispondete:

Come stai?
Come state tu e Anna?
Come state voi?

NOTA E RAMMENTA

The verb **stare** is irregular:

io *sto*	noi *stiamo*
tu *stai*	voi *state*
lui/lei *sta*	loro *stanno*

In the sense of *to be,* **stare** is used mainly in expressions of health.

Attività

I. Complete the following sentences with the appropriate form of **stare:**

1. Loro _____ male.
2. Io _____ così così.
3. Chi _____ male?
4. Come _____ tu e io?
5. Come _____ tu e Graziana?
6. Tu _____ molto bene.

J. **Parla italiano.** Ask your classmates, individually, how they are today:

ESEMPIO: **Come stai?**

6. Pronuncia

gl when followed by **i** is pronounced like English -*lli* (as in *billion*)
ESEMPI: **luglio, figlia, figlio**

gn is pronounced like English -*ny*- (as in *canyon*)
ESEMPI: **signore, lavagna, giugno**

LEZIONE 15

1. Dialogo

Che cosa hai?

LISA: **Ciao, Daria.**
DARIA: **Ciao, Lisa.**
LISA: **Dove vai oggi?**
DARIA: **Vado allo studio del dottore.**
LISA: **Non stai bene?**
DARIA: **No, sono malata.**
LISA: **Che cosa hai?**
DARIA: **Ho un raffreddore, mal di testa e mal di gola.**
LISA: **Hai la febbre?**
DARIA: **Certo! Ho molto freddo.**   certo *of course*
LISA: **Mi dispiace. Ciao.**

Avete capito? Rispondete:

1. **Con chi parla Lisa?**
2. **Dove va Daria?**
3. **Chi non sta bene?**
4. **Che cosa ha Daria?**
5. **Daria ha anche la febbre?**

Attività

A. Parla italiano. Recreate the dialog above with a classmate:

1. Greet him/her.
2. Ask how he/she feels.
3. Ask if he/she has a fever, a cold, a headache, a sore throat.
4. Say that you are sorry.
5. Take leave.

2. Lettura

Povera Cristina

povera *poor*

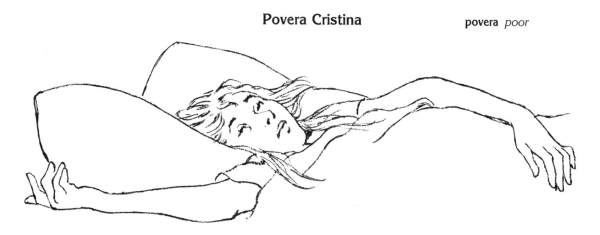

Cristina è una ragazza forte, sta sempre bene. Mangia molto e dorme bene. Ogni giorno va nel parco con la bicicletta e corre nella strada davanti alla casa.

forte *strong*
sempre *always*
ogni giorno *every day*

È anche un'alunna diligente e va a scuola volentieri. Ma oggi non va nel parco e non corre nella strada: oggi Cristina è a letto perchè non sta bene. Ha la febbre, ha un forte mal di testa e un raffreddore. Non ha fame e ha paura di avere l'influenza.

Povera Cristina!

Avete capito? Rispondete:

1. **Com'è Cristina?**
2. **Dove va ogni giorno?**
3. **Con che cosa va nel parco?**
4. **Dove corre?**

5. **Dov'è Cristina oggi?**
6. **Perchè non mangia?**
7. **Che cosa ha?**
8. **Che cosa ha paura di avere?**

Attività

B. Parla italiano. Say that you are afraid of the following:

ESEMPIO: I am afraid of having the flu.
Ho paura di avere l'influenza.

1. having a cold

2. going to the market

3. talking to the teacher   5. not hearing the alarm clock
4. eating the cake   6. studying too much

C. Componimento. Write a short paragraph in which you answer the following questions:

1. Dove va Cristina con la   4. Che cosa ha?
   bicicletta?   5. Mangia oggi?
2. Come sta oggi Cristina?   6. Perchè non mangia?
3. Dov'è Cristina?

D. Domande personali:

1. Sei un ragazzo/una ragazza forte?
2. Mangi molto?
3. Dormi bene?
4. Hai una bicicletta?
5. Dove vai con la bicicletta?
6. Quando vai in bicicletta, hai paura?
7. Corri qualche volta?
8. Sei un alunno/un'alunna diligente?
9. Vai a scuola volentieri?
10. Stai sempre bene?
11. Che cosa mangi quando hai fame?
12. Quando hai caldo, hai anche sete?
13. Hai un'automobile?
14. Hai una macchina fotografica?

3. Lettura culturale

La Sicilia

La Sicilia è una grande isola a forma di triangolo, situata al sud dell'Italia e al centro del Mare Mediterraneo.

forma *shape*
situata *located*

Questa regione ha una storia molto antica: prima i Greci, poi i Romani, i Normanni, i Francesi e gli Spagnoli hanno governato l'isola.

regione *region*
storia *history*
prima *first*
hanno governato
  governed

Il panorama della Sicilia è bello e vario: ci sono alte montagne, verdi valli e fertili pianure.

valli *valleys*
pianure *plains*
capoluogo *main city in the region*

La Sicilia ha anche molte belle città: il capoluogo Palermo, Catania, Messina, Siracusa e Marsala.

In Sicilia c'è il vulcano più grande d'Europa, l'Etna, che è ancora attivo. Vicino all'Etna, sul mare, c'è Taormina, un paese incantevole dove i turisti passano le vacanze. In Sicilia fa sempre caldo, per questo molti turisti vanno nell'isola anche in inverno.

incantevole *enchanting*
vanno *go*

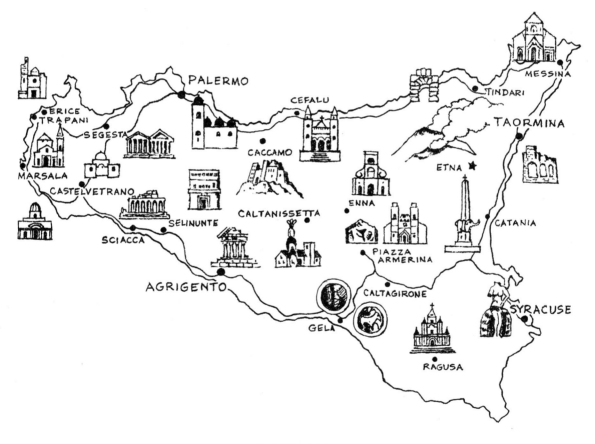

Attività

E. Impara e parla. Answer the questions according to the reading:

1. Dov'è la Sicilia?
2. Che cosa è la Sicilia?

3. Che forma ha la Sicilia?
4. Com'è la storia della Sicilia?
5. Chi ha governato la Sicilia?
6. Com'è il panorama della Sicilia?
7. Qual è il capoluogo della Sicilia?
8. Come si chiama il vulcano più grande d'Europa?
9. Il vulcano è ancora attivo?
10. Che cosa è Taormina?
11. Dov'è Taormina?
12. Com'è Taormina?
13. Com'è il clima in Sicilia?
14. È caldo in inverno in Sicilia?

F. Dov'è? Look at the map and tell where each of the following places is situated in the island of Sicily:

ESEMPIO: **Messina è a est.**

1. Palermo
2. Siracusa
3. Marsala
4. Catania
5. L'Etna
6. Taormina

G. Complete the following sentences:

1. La Sicilia è al sud dell'_____.
2. La Sicilia ha la forma di un _____.
3. Prima i _____ hanno governato la Sicilia.
4. Il capoluogo della Sicilia è _____.
5. Il monte Etna è un _____.
6. Taormina è vicino all'_____.
7. Anche in inverno in Sicilia fa _____.

ESPRESSIONI E FRASI

Come stai?	Come va?	Ho fame.	Ho mal di testa.
Va bene.	Va male.	Ho sete.	Ho mal di gola.
Non c'è male.	Così così.	Ho sonno.	Ho mal di denti.
Ho freddo.	Ho caldo.	Ho paura.	Ho mal di orecchi.
			Ho mal di schiena.
			Ho mal di stomaco.

4. Ripasso

NOMI		VERBI
l'automobile	la lavagna	avere
il banco	la macchina fotografica	correre
la bicicletta	il mal di gola	esaminare
il calendario	il mal di testa	stare
la carta	la matita	
la carta geografica	la motocicletta	
la cattedra	l'orologio	
il cestino	il parco	
la cimosa	la parete	
la città	la paura	PAROLE VARIE
il deserto	la penna	
il dizionario	la porta	bene
la fame	il quaderno	forse
la febbre	il raffreddore	male
la finestra	la sedia	
il foglio	la sete	
il gesso	il sonno	
la gola	la strada	
l'influenza	lo studio	

Attività

H. Parla italiano. Tell as much as you can in Italian about the illustrations below:

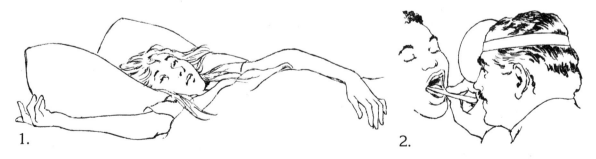

1. 2.

I. Parla italiano. Describe what you see in the classroom by using the expression **c'è**:

ESEMPIO: **Nella classe c'è il professore.**

J. Ascolta l'italiano. You will hear three sentences describing each of the pictures below. Choose the sentence that best describes each picture:

1.

3.

2.

4.

K. Ascolta l'italiano. You will hear a series of questions. For each question, choose the best answer from the choices below:

1. a. Voi avete un orologio.
   b. Tu hai una penna.
   c. Noi abbiamo il raffreddore.
2. a. Marina sta bene.
   b. Loro stanno bene.
   c. Voi state così così.
3. a. Tu hai fame.
   b. Giorgio ha fame.
   c. Loro hanno fame.

4. a. Sì, ho freddo.
   b. Sì, hai freddo.
   c. Sì, abbiamo freddo.
5. a. Sì, ha fame.
   b. Sì, ha un libro.
   c. Sì, ha il raffreddore.

L. Completa in italiano. Complete the following sentences with words that fit both logically and structurally:

1. La famiglia mangia nella _____ perchè non c'è la sala da pranzo.
2. La chiesa è vicino alla _____.

3. La professoressa _____ a scuola oggi.
4. Carlo prepara un _____ nella _____.
5. Studio _____ e _____ a scuola.
6. Loro _____ un'automobile e una motocicletta.
7. Giorgio va al _____ e paga alla _____.
8. Gianna compra il latte nella _____ e la carne nella _____.

M. Insert the appropriate verb endings:

1. La ragazza compr__ un giornale.
2. Io viv__ a casa con la famiglia.
3. Il ragazzo ricev__ una lettera.
4. Tu apr__ il giornale.
5. Io son__ al supermercato.
6. Tu va__ a scuola.
7. Beppe vend__ la verdura.
8. Tu h__ una penna.
9. Io legg__ un libro.
10. Maria mangi__ un tramezzino.
11. Aldo corr__.
12. Voi avet__ un raffreddore.
13. Io non h__ paura.
14. Tu e io abbiam__ freddo.
15. Tu se__ americano.

Capitolo 6

LEZIONE 16

LINGUA VIVA

1. Caratteristiche personali
2. I numeri: Da trenta a cento (*From thirty to one hundred*)
3. Operazioni di aritmetica
4. Quanti anni hai? (*How old are you?*)

LEZIONE 17

STRUTTURA E PRATICA

1. Cosa vuol dire?
2. Vignette
3. Grammatica: Plurale del verbo *essere*
4. Grammatica: Plurale dei nomi, degli aggettivi e degli articoli
5. Grammatica: C'è (*There is*); Ci sono (*There are*)
6. Pronuncia

LEZIONE 18

INTERMEZZO

1. Dialogo: Per chi sono i regali?
2. Lettura: Il compleanno dei gemelli
3. Lettura culturale: I monumenti
4. Ripasso
5. Controllo della lingua

1. Caratteristiche personali

alto   basso

grande   piccolo

energica   stanca

grasso   magro

ricca   povera

allegra   triste

| buono | cattivo | giovane | vecchio |

bella   brutta

All of the following Italian words are cognates of English words. Can you recognize their meanings?

atletico	simpatico	paziente
generoso	fantastico	sincero
interessante	intelligente	timido
romantico		

Attività

A. Make a survey of the students in the classroom:

ESEMPI: **Chi è alto?** **Chi è alta?**
        Mario è alto. **Cristiana è alta.**

1. Chi è allegro?
2. Chi è buono?
3. Chi è atletico?
4. Chi è romantico?

5. Chi è ricco?
6. Chi è bello?
7. Chi è simpatico?
8. Chi è timido?

B. Complete each sentence with one or more of the adjectives listed below:

bello/bella	vecchio/vecchia	grande
piccolo/piccola	buono/buona	paziente
grasso/grassa	intelligente	simpatico/simpatica

1. Il dottore è _____.
2. La cattedra è _____.
3. Il padre è _____.
4. La madre è _____.
5. La chiesa è _____.
6. La piazza è _____.
7. La banana è _____.
8. Il fiore è _____.
9. L'oceano è _____.
10. Il cibo è _____.
11. La professoressa è _____.
12. L'amico è _____.

C. Change the following sentences using the antonyms:

ESEMPIO: **Maria è allegra.**
Maria è *triste*

1. Il ragazzo è alto.
2. Gina è grassa.
3. Tu sei ricco.
4. Io sono stanca.
5. La professoressa è brutta.
6. Il professore è giovane.
7. La ragazza è cattiva.
8. La scuola è grande.

2. I numeri: Da trenta a cento (From thirty to one hundred)

30	trenta	40	quaranta	50	cinquanta
31	trentuno	41	quarantuno	60	sessanta
32	trentadue	42	quarantadue	70	settanta
33	trentatrè	43	quarantatrè	80	ottanta
34	trentaquattro	44	quarantaquattro	90	novanta
35	trentacinque	45	quarantacinque	100	cento
36	trentasei	46	quarantasei		
37	trentasette	47	quarantasette		
38	trentotto	48	quarantotto		
39	trentanove	49	quarantanove		

3. Operazioni di aritmetica

Che numero è?

75   È il numero settantacinque.

$7 + 8 = 15$ **Quanto fa sette più otto? Sette più otto fa quindici.**

$16 - 5 = 11$ **Quanto fa sedici meno cinque? Sedici meno cinque fa undici.**

$9 \times 6 = 54$ **Quanto fa nove per sei? Nove per sei fa cinquantaquattro.**

$18 : 3 = 6$ **Quanto fa diciotto diviso tre? Diciotto diviso tre fa sei.**

Attività

D. Che numero è? Write the number you hear:

ESEMPIO: You hear: **33**
          You write: **trentatrè**

E. Write two-digit numbers (for example 22, 34) on a piece of paper. Go in front of the class and ask your classmates:

Che numero è?

F. Quanto fa? Express the following problems and their solutions in Italian:

ESEMPIO: $2 \times 8 = 16$ **Due per otto fa sedici.**

1. 7×6	6. $20 + 50$	11. $39 - 13$
2. $12 + 21$	7. $36 : 9$	12. $60 + 15$
3. $20 : 5$	8. $16 - 1$	13. 6×5
4. $46 - 7$	9. 7×7	14. $40 - 7$
5. 9×8	10. $52 + 11$	15. $16 + 15$

4. Quanti anni hai? (How old are you?)

Ho quindici anni.   *I am 15 years old.*
Quindici.   *I am 15.*

Quanti anni ha Marina? (*How old is Marina?*)

Marina ha quattordici anni.   *Marina is 14 years old.*
Quattordici.   *Marina is 14.*

Attività

G. **Parla italiano.** How old are the other students in the class? Ask and find out!

ESEMPIO: Student in the first row: **Quanti anni hai?**

Student in the second row: **Ho sedici anni. E tu, quanti anni hai?**

Student in the third row responds, and so on.

STRUTTURA E PRATICA

1. Cosa vuol dire?

il figlio   la figlia   la nonna   il nonno

   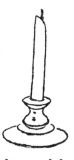

il regalo   la camicia   la blusa   la candela

la sorella   il fratello

2. Vignette

La famiglia

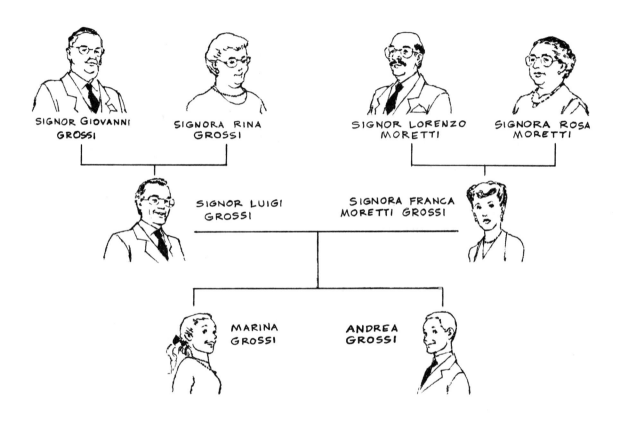

ANDREA: **Sono il figlio della Signora Franca e del Signor Luigi.**

MARINA: **Sono la figlia della Signora Franca e del Signor Luigi.**

ANDREA E MARINA: **Siamo i figli della Signora Franca e del Signor Luigi.**

ANDREA: **Sono il fratello di Marina. Non ho fratelli.**

MARINA: **Sono la sorella di Andrea. Non ho sorelle.**

SIGNOR GIOVANNI E SIGNOR LORENZO: **Noi siamo i nonni di Marina e di Andrea.**

SIGNORA RINA E SIGNORA ROSA: **Noi siamo le nonne di Marina e di Andrea.**

Avete capito? Rispondete:

1. Andrea e Marina sono fratelli?
2. Il Signor Giovanni è il nonno di Andrea?
3. Chi è il fratello di Marina?
4. Chi è la figlia della Signora Franca e del Signor Luigi?
5. Chi è il figlio della Signora Franca e del Signor Luigi?

Marina e Andrea sono fratelli. Sono fratelli gemelli. Oggi è il 7 marzo.
È il compleanno di Marina e di Andrea. C'è una festa. Sulla tavola ci
sono i regali. C'è anche una torta con le candele.

Avete capito? Rispondete:

1. Qual è la data di oggi?
2. Che cosa è oggi?
3. Quanti anni ha Marina?
4. Che cosa c'è sulla tavola?
5. Che cosa c'è sulla torta?

MARINA: **Io ho un regalo: è una blusa nera.**
ANDREA: **Anche io ho un regalo: è una camicia bianca.**

Avete capito? Rispondete:

1. **Che cosa ha Marina?**
2. **Che cosa è il regalo di Andrea?**

Dino, Gina e Lisa sono cugini di Andrea e Marina. Andrea e Gina sono cugini. Marina e Lisa sono cugine. Andrea e Dino sono cugini. Marina, Gina, Andrea e Dino sono bruni (*dark*). **Lisa è bionda** (*blond*).

Avete capito? Rispondete:

1. **Andrea e Gina sono cugini?**
2. **Lisa e Andrea sono cugini?**
3. **Lisa e Marina sono cugine?**
4. **Com'è Dino?**
5. **Com'è Lisa?**

Attività

A. By looking at the pictures, tell whether the persons are blond or dark:

1. La ragazza è _____.
   Il ragazzo è _____.

2. Il papà è _____.
   La mamma è _____.
   La mamma e la figlia sono _____.
   Il papà e il figlio sono _____.
   Il figlio è _____.
   La figlia è _____.

3. La professoressa è _____.
   Il ragazzo è _____.
   Un'alunna è _____.
   I due ragazzi sono _____.
   L'altra alunna è _____.

B. Parla italiano. Tell what color your classmates' hair is:

ESEMPI: **Giorgio è bruno.**
        Marina è bionda.

C. Answer the following questions according to the family tree:

1. Chi è Andrea?
2. Chi è Marina?
3. Chi è la Signora Franca Grossi?
4. Chi è il Signor Luigi Grossi?
5. Chi è il Signor Giovanni Grossi?
6. Chi è la Signora Rina Grossi?
7. Chi è il Signor Lorenzo Moretti?
8. Chi è la Signora Rosa Moretti?
9. Chi è Lisa?
10. Chi è Dino?
11. Chi è Gina?

D. Parla italiano. Describe the color of the shirts of some of your classmates:

ESEMPI: **La blusa di Marina è bianca.**
La camicia di Mario è blu.

3. Grammatica: Plurale del verbo *essere*
Identifying two or more people

1. Frasi modello

Ripetete:

Gianni e Franco sono fratelli. Loro sono fratelli.
Grazia e Gina sono sorelle. Loro sono sorelle.
Giorgio e Franco sono alti. Loro sono alti.

Rispondete:

Gianni e Franco sono fratelli?

Chi sono loro?

Grazia e Gina sono sorelle?

Chi sono loro?

Giorgio e Franco sono alti?

Come sono loro?

Sono americane le ragazze?

Sono belle le ragazze?

2. Frasi modello

Ripetete:

Tu e Roberto siete amici. Voi siete amici.
Tu e Cristina siete amiche. Voi siete amiche.
Tu e Gianni siete fratelli. Voi siete fratelli.

Imitate l'esempio:

ESEMPIO: Loro sono fratelli.
Anche voi siete fratelli.

Le ragazze sono sorelle.   I ragazzi sono italiani.
Loro sono amici.   Le ragazze sono bionde.
Le ragazze sono amiche.

3. Frasi modello

Ripetete:

Gianni e io siamo americani. Noi siamo americani.
Lui e io siamo biondi. Noi siamo biondi.
Cristina e io siamo sorelle. Noi siamo sorelle.

Rispondete:

Siete italiani?   Siete sorelle?
Chi è italiano?   Siete alti?
Siete biondi?   Siete americani?
Chi è biondo?   Chi è americano?

NOTA E RAMMENTA

You have already learned the singular forms of the verb **essere**:

io *sono*
tu *sei*
lui / lei *è*

Now learn the plural forms:

noi *siamo*
voi *siete*
loro *sono*

Attività

E. Complete each sentence with the correct form of **essere:**

1. Gianni e Marisa _____ italiani.
2. Le ragazze _____ americane.
3. Noi _____ ragazzi.
4. I regali _____ belli.
5. Le case _____ alte.
6. Marina e io non _____ brutte.
7. Voi _____ nella piazza.
8. I ragazzi americani _____ biondi.
9. Le bluse _____ nere.
10. Tu e Mario _____ simpatici.

F. Answer the following questions with a complete sentence:

1. I ragazzi sono a casa?
2. Siete al ristorante?
3. Siamo in piazza?
4. Le ragazze sono in cucina?
5. Siete davanti alla chiesa?

G. Parla italiano. Ask questions about your classmates:

1. Who are you?
2. Who is he?
3. Who is she?
4. Who are we?
5. Who are they?

4. Grammatica: Plurale dei nomi, degli aggettivi e degli articoli

Frasi modello

Ripetete:

I ragazzi sono alti.
I libri sono belli.

Le case sono piccole.
Le ragazze sono buone.

Rispondete:

Come sono i ragazzi?
Come sono i libri?

Come sono le case?
Come sono le ragazze?

NOTA E RAMMENTA

Most plurals of nouns and adjectives are formed by changing the final **o** of the masculine singular to **i** and the final **a** of the feminine singular to **e.**

The plural definite article for masculine nouns is **i.**

The plural definite article for feminine nouns is **le.**

i ragazz*i* buon*i*
le ragazz*e* bell*e*

Note that Italian adjectives generally follow the noun.

Attività

H. Match each noun in the left column with an adjective in the right column according to the meaning and gender. Then change both the noun and adjective to the plural:

1.	il letto	bianca
2.	la chiesa	bella
3.	il ragazzo	bionda
4.	il nonno	brutta
5.	il fratello	deliziosa
6.	la blusa	gemello
7.	la casa	italiano
8.	la bicicletta	moderna
9.	la figlia	malato
10.	la torta	piccolo

I. Complete each sentence with the correct form of the definite article and adjective:

1. _____ case sono alt__.
2. _____ libri sono bell__.
3. _____ alunne sono bell__.
4. _____ scuole sono modern__.
5. _____ ragazzi sono italian__.
6. _____ ragazze sono american__.
7. _____ regali sulla tavola sono bell__.

8. _____ pranzi sono delizios___.
9. _____ amiche sono biond___.
10. _____ fratelli sono brun___.

J. Answer each question with a complete sentence:

1. Siete americani?
2. Siete alti?
3. Siete ragazzi o ragazze?

4. Siete alunni?
5. Siete biondi o bruni?

5. Grammatica: *C'è* (*There is*); *Ci sono* (*There are*)
Expressing where things or people are

Frasi modello

Ripetete:

C'è una torta sulla tavola.
Ci sono molte candele sulla torta.

C'è una bicicletta nel parco.
Ci sono ragazzi nel salotto.

Rispondete:

Che cosa c'è sulla tavola?
Che cosa c'è sulla torta?

Che cosa c'è nel parco?
Chi c'è nel salotto?

Attività

K. Answer the following questions:

ESEMPIO: **Quanti figli ci sono nella tua** (*your*) **famiglia?**
Nella mia (*my*) **famiglia ci sono due figli.**

1. Quante sorelle ci sono nella tua famiglia?
2. Quanti cugini ci sono nella tua famiglia?
3. Quanti nonni ci sono nella tua famiglia?
4. Ci sono fratelli gemelli nella tua famiglia?

L. Parla italiano. Tell your classmates what you see in the classroom by using the expressions **c'è** and **ci sono**:

ESEMPIO: **Nella classe ci sono dieci ragazze e dodici ragazzi.**

NOTA E RAMMENTA

1. **C'è** and **ci sono** mean *there is* and *there are.*

2. **C'è** is singular and is accompanied by the singular form of the noun and adjective:

C'è **una chiesa nella piazza.**

3. **Ci sono** is plural and is accompanied by the plural form of the noun and adjective:

Ci sono **libri sulla tavola.**

---

6. Pronuncia

The letter **h** is always silent at the beginning of a word:

*H*o **venti anni.**

In the middle of a word, **h** usually serves to make the sound of **g** or **c** hard:

an*ch*e   *ch*iesa   spa*gh*etti

LEZIONE 18

1. Dialogo

Per chi sono i regali?

CARLO: **Per chi sono i regali?**
GINA: **Domani è il compleanno di Andrea e Marina.**
CARLO: **Di Andrea e Marina? Sono gemelli?**
GINA: **Sì, sono gemelli.**
CARLO: **Bene, allora perchè non prepariamo una festa?**   allora *then*
GINA: **Una festa! Che bella idea!**

Avete capito? Rispondete:

1. **Per chi sono i regali?**
2. **Quando è il compleanno di Andrea e Marina?**
3. **Andrea e Marina sono fratelli?**
4. **Che cosa preparano gli amici?**

169

Attività

A. **Parla italiano.** Recreate a dialog with one of your friends asking him/her when his/her birthday is, how old he/she is, how many brothers and sisters he/she has, how old they are, if they are twins, if they are tall or short, fat or slim.

2. Lettura

Il compleanno dei gemelli

Oggi è il compleanno di Marina e Andrea. Marina ha quindici anni; anche Andrea ha quindici anni: sono gemelli.

C'è una festa nella casa di Marina e Andrea: ci sono il papà, la mamma, i nonni, i cugini e gli amici.

Ci sono molti regali: bluse bianche e nere per Marina e dischi e libri per Andrea.   **dischi** *records*

Durante la festa tutti mangiano, cantano, ascoltano i dischi e ballano.

durante *during*
cantano *they sing*
ascoltano *they listen to*

È una tipica festa italiana in onore dei due gemelli.

Avete capito? Rispondete:

1. **Quando è il compleanno di Andrea e Marina?**
2. **Quanti anni hanno?**
3. **Sono gemelli?**
4. **Che cosa c'è nella casa di Andrea e Marina?**
5. **Che regali ci sono?**
6. **Chi c'è alla festa?**
7. **Che cosa fanno (***do***) alla festa?**
8. **Com'è la festa?**

Attività

B. **Componimento.** Write a short paragraph in which you answer the following questions:

1. Quando è il compleanno di Marina e Andrea?
2. Quanti anni ha Marina? Quanti anni ha Andrea?
3. Riceve molti regali Marina? E Andrea?

4. Chi c'è alla festa del compleanno?
5. Ballano? Cantano? Mangiano?
6. Sono contenti di essere alla festa del compleanno di Marina e Andrea?

C. Domande personali

1. Vai mai (*ever*) alla festa di compleanno di un amico o di un'amica?
2. C'è una torta con le candele per la festa?
3. Quando è il tuo compleanno?
4. Quanti anni hai?
5. Quanti anni ha il tuo papà?
6. Quanti anni ha la tua mamma?
7. Quanti fratelli hai?
8. Quante sorelle hai?
9. Hai fratelli gemelli?

3. Lettura culturale

I monumenti

Un monumento è un'opera pubblica che ha valore storico, artistico e culturale.

che *which*
storico *historical*

L'Italia è ricca di monumenti: nelle grandi città e nei piccoli paesi ci sono statue, palazzi, fontane, chiese, piazze e ponti.

palazzi *buildings*
fontane *fountains*
ponti *bridges*

A Milano c'è il Duomo, cattedrale di stile gotico con le guglie; a Roma c'è la Fontana di Trevi, dove i turisti gettano i soldi con la speranza di ritornare; a Venezia c'è il Canal Grande, che è come la strada principale della città. Sul Canal Grande non ci sono automobili, ma vaporetti. Firenze ha il Ponte

stile *style*
guglie *spires*
gettano *they throw*
soldi *pennies*
speranza *hope*

Vecchio; Siena ha la Piazza del Comune, diversa da tutte le altre piazze italiane perchè concava. A Pisa c'è la Torre Pendente.

come *like*
vaporetti *motor boats*
concava *concave*

Questi monumenti sono noti ai turisti e sono famosi in tutto il mondo. Ma in ogni paese, grande o piccolo, c'è una statua o una fontana. La statua di solito ricorda eroi locali o nazionali, il milite ignoto o avvenimenti storici; la fontana, invece, abbellisce il parco o la piazza principale.

noti *known*
mondo *world*
ogni *each, every*
di solito *usually*
milite ignoto *unknown soldier*
avvenimenti *events*
abbellisce *beautifies*

Attività

D. Impara e parla. Answer the following questions according to the reading:

1. Che cosa è un monumento?
2. Che valore ha un monumento?
3. In Italia, i monumenti sono nelle città o nei piccoli paesi?
4. Quale monumento c'è a Milano?
5. Quali caratteristiche ha il Duomo?
6. Dove gettano i soldi i turisti a Roma? Perchè?
7. Che cosa è il Canal Grande? Dov'è?
8. Che cosa c'è sul Canal Grande?
9. Dov'è il Ponte Vecchio?
10. Perchè la Piazza del Comune di Siena è diversa da tutte le altre piazze d'Italia?
11. Che cosa c'è a Pisa?
12. Che cosa c'è in ogni piccolo paese?
13. Chi o che cosa ricorda una statua?
14. Che cosa abbellisce un parco o una piazza?
15. Di che cosa è ricca l'Italia?

E. By looking at the map, tell where the following cities are located:

Esempio: **Palermo è a sud di Roma.**

1. Firenze è a _____ di Pisa.
2. Siena è a _____ di Firenze.

3. Milano è a _____ di Venezia.
4. Venezia è a _____ di Milano.
5. Roma è a _____ di Firenze.

F. Complete the following sentences:

1. Una statua è un _____.
2. Il Duomo è la _____ di Milano.
3. Il Ponte Vecchio è a _____.
4. A Siena c'è la _____.
5. In Italia ci sono molti _____.

4. Ripasso

NOMI	AGGETTIVI	VERBI
l'anno	allegro	ascoltare
la blusa	atletico	ballare
la camicia	biondo	cantare
la candela	bruno	preparare
il compleanno	buono	
la cugina	cattivo	
il cugino	energico	
la festa	fantastico	PAROLE VARIE
la figlia	gemello	
il figlio	generoso	durante
il fratello	giovane	quanti?
la nonna	grande	quanto?
il nonno	grasso	
il papà	intelligente	
il regalo	interessante	
la sorella	magro	
la torta	paziente	
	piccolo	
	povero	
	ricco	
	romantico	
	sincero	
	stanco	
	timido	

ESPRESSIONI E FRASI

Quanto fa sette più otto?	C'è una penna sul tavolo.
Quanto fa cinque meno uno?	Ci sono torte alla festa.
Quanto fa sei per sei?	Quanti anni hai?
Quanto fa dieci diviso due?	Ho quindici anni.

Attività

G. **Parla italiano.** Tell as much as you can about the following pictures:

1.

2.

3.

4.

H. Ascolta l'italiano. Your teacher will say several words. Choose the correct antonym for each word from the list:

1. (a) triste   (b) caldo   (c) basso   (d) simpatico
2. (a) fredda   (b) grassa   (c) timida   (d) triste
3. (a) cattivo   (b) vecchio   (c) sincero   (d) paziente
4. (a) atletico   (b) stanco   (c) allegro   (d) povero
5. (a) fantastico   (b) bello   (c) generoso   (d) giovane

I. Can you solve these problems?

1. dodici
   + sette

2. sedici
   − nove

3. tre
   × sette

4. ottantadue
   : due

5. trenta
   + tre

6. venticinque
   − sette

7. quattro
   × otto

8. ventiquattro
   : sei

9. quarantaquattro
   + otto

10. sessanta
    − dieci

11. venti
    × tre

12. trentasei
    : nove

J. Impara il vocabolario. Choose the word that does not belong in the group:

1. (a) matita   (b) gomma   (c) gesso   (d) automobile
2. (a) avere   (b) dottore   (c) stare   (d) esaminare
3. (a) studio   (b) sedia   (c) cattedra   (d) banco
4. (a) torta   (b) camera   (c) candela   (d) blusa
5. (a) sorella   (b) figlia   (c) festa   (d) nonna

K. Impara il vocabolario. Choose the expression that could replace the bold expression:

1. Il papà legge **il giornale.**
   (a) la lettera   (b) la porta   (c) la camicia   (d) la gola
2. Marco ha **un raffreddore.**
   (a) il sonno   (b) malato   (c) mal di testa   (d) il parco
3. Loro stanno **bene.**
   (a) male   (b) forse   (c) quanti   (d) quanto
4. Il dottore esamina **la gola.**
   (a) la città   (b) la festa   (c) la nonna   (d) la paura

L. Impara il vocabolario. Choose the word that best completes the sentence:

1. Il nonno è il padre di mio
   (a) fratello   (b) padre   (c) cugino
2. Maria corre ogni giorno. Lei è
   (a) romantica   (b) timida   (c) atletica
3. Lui ha tre macchine e una motocicletta. È
   (a) grande   (b) ricco   (c) bruno
4. Oggi Mario ha quindici anni. È il suo (*his*)
   (a) compleanno   (b) regalo   (c) onomastico
5. Carla ha caldo e
   (a) freddo   (b) sete   (c) fame

5. Controllo della lingua

M. Describing people. Describe these people in Italian:

1.   3.   5.

2.   4.   6.

N. Describing things. Say in Italian that these things are big or small:

1. la cattedra
2. il gesso
3. la lavagna
4. la porta
5. il calendario

6. la cimosa
7. il banco
8. la finestra
9. la matita

O. Saying how you feel. Say in Italian that you feel:

1. cold
2. thirsty
3. very well
4. so-so

5. hot
6. sleepy
7. sick
8. afraid

9. hungry
10. well
11. not so bad

P. Asking questions in Italian. Ask the following questions in Italian:

1. How are you?
2. What do you have?
3. What do they have?
4. Who has a watch?
5. Are you students?
6. Are Gianni and Maria twin brothers?
7. Are they friends?
8. Are the boys blond?
9. Are the girls brunette?

Q. Asking how many things one has. Ask in Italian how many of the following things your friend has:

1. fratelli
2. regali
3. orologi
4. cugini

5. sorelle
6. libri
7. matite
8. nonni

R. Talking about your family. Answer the following questions in Italian:

1. What are the names of the members of your family?
2. How old are they?
3. What is the color of their hair?
4. Can you describe them further?

S. Saying that there is or there are things. Say in Italian:

1. There are candles on the cake.
2. There is a church in the square.
3. There is a bike in the street.
4. There are girls in the classroom.
5. There is a clock in the living room.
6. There are cakes on the table.

T. Saying your and other people's ages. Answer the following questions:

1. Quanti anni hai?
2. Quanti anni ha tuo padre?
3. Quanti anni ha tua madre?
4. Quanti anni ha tua sorella?
5. Quanti anni ha tuo fratello?
6. Quanti anni ha il tuo amico?
7. Quanti anni ha tuo cugino?

U. Saying numbers. Say these numbers in Italian:

33	42	55	77
84	88	91	99
100	23	44	22

Capitolo 7

LEZIONE 19

LINGUA VIVA

1. La casa
2. Che ora è? Che ore sono? (*What time is it?*)
3. Il giorno
4. A che ora? (*At what time?*)
5. Lettura: Gli orari degli uffici

LEZIONE 20

STRUTTURA E PRATICA

1. Cosa vuol dire?
2. Vignette
3. Grammatica: Plurale dei verbi in -*are*
4. Grammatica: Plurale del verbo *andare*
5. Cosa vuol dire?
6. Grammatica: Articoli determinativi con nomi comincianti per *s* impura, *z* e vocali
7. Grammatica: Articolo indeterminativo con nomi comincianti per *s* impura e *z*

LEZIONE 21

INTERMEZZO

1. Dialogo: Alla spiaggia
2. Lettura: Un'estate a Viareggio
3. Lettura culturale: Le vacanze degli Italiani
4. Ripasso

LEZIONE 19

1. La casa

La casa è bianca.
Il tetto è rosso.
La casa ha una porta e cinque finestre.
La casa ha due piani.

la camera da letto   la cucina

IL TELEFONO   IL LETTO

LA CUCINA ECONOMICA

IL FRIGERIFERO

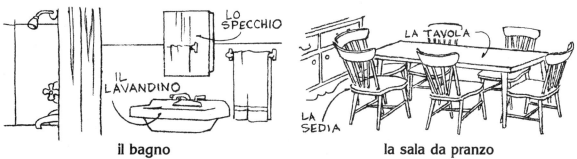

LO SPECCHIO

IL LAVANDINO

LA TAVOLA

LA SEDIA

il bagno   la sala da pranzo

181

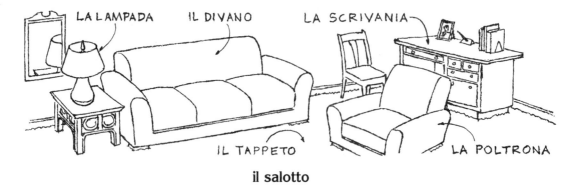

il salotto

Attività

A. Parla italiano. Looking at the pictures above, answer the following questions:

1. Che cosa c'è nella camera da letto?
2. Che cosa c'è nel bagno?
3. Che cosa c'è nella cucina?
4. Che cosa c'è nel salotto?
5. Che cosa c'è nella sala da pranzo?

B. Identify the pictures:

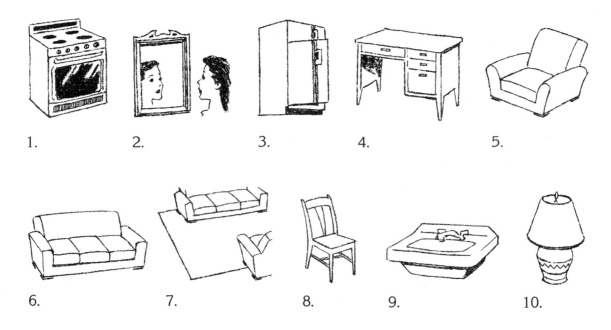

1.

2.

3.

4.

5.

6.

7.

8.

9.

10.

C.   Describe your house by completing the following sentences:

1. La mia casa ha _____ finestre e _____ porte.
2. Il tetto della mia casa è _____, ma la mia casa è _____.
3. Nella mia casa ci sono _____ stanze (*rooms*):

   _____, _____, _____, _____, _____,

   _____, _____, _____, _____.
4. Nella mia camera da letto c'è _____.
5. Nella cucina c'è _____.
6. Nel salotto c'è _____.
7. Nella sala da pranzo c'è _____.
8. La mia casa è _____.

2.   Che ora è? Che ore sono? (What time is it?)

È l'una.   Sono le due.   Sono le tre.

Can you continue?

_____.   _____.   _____.

È l'una e mezzo.   Sono le sei e mezzo.   Sono le otto e mezzo.

Can you continue?

_____ .   _____ .   _____ .

È l'una e un quarto.   È l'una meno un quarto.

Sono le due e un quarto.   Sono le due meno un quarto.

Can you continue?

_____ .   _____ .   _____ .

È l'una e cinque.   È l'una meno cinque.

Sono le tre e dieci.

Sono le tre meno dieci.

Can you continue?

È mezzogiorno.

È mezzanotte.

3. Il giorno

il mattino

il pomeriggio

la sera

la notte

Attività

D. Che ora è?

1.   4.   8.

2.   5.   9.

3.   6.   10.

7.

NOTA E RAMMENTA

1. To ask what time it is in Italian, use either **Che ora è?** or **Che ore sono?**

2. To express the time in Italian for one o'clock, noon, or midnight:

    È l'una, è mezzogiorno, è mezzanotte

    For the other hours:

    Sono le due, sono le quattro, sono le dieci

3. The word **ora** (singular) or **ore** (plural), meaning time, hour(s), o'clock, is implied but not expressed.

4. To express time after the hour, use **e**:

    È l'una *e* dieci. Sono le due *e* un quarto.

    To express time before the hour, use **meno**:

    È l'una *meno* dieci. Sono le due *meno* un quarto.

5. Official time (timetables, entertainment ads, sport programs, public schedules) uses the 24-hour clock, that is, after 12 noon, the hour times continue through 24:

3:00 P.M. = 15.00	**Sono le quindici.**
11:00 P.M. = 23.00	**Sono le ventitrè.**
5:20 P.M. = 17.20	**Sono le diciassette e venti.**
12 midnight = 24.00	**Sono le ventiquattro.**

6. In everyday conversation, A.M. and P.M. are expressed as follows:

3:00 P.M. =	**Sono le tre *del pomeriggio*.**
5:00 A.M. =	**Sono le cinque *del mattino*.**
11:00 P.M. =	**Sono le undici *di sera*.**

E. You will hear different times in Italian. Listen carefully and write down the times you hear:

ESEMPIO: You hear: **Sono le due e venti del mattino.**
            You write: **2:20 A.M.**

4. A che ora? (At what time?)

A che ora è il film (*movie*)? **Alle otto.**
A che ora parte il treno (*train*)? **Alle undici.**
A che ora mangi? All'una.
A che ora vai a dormire? A mezzanotte.

Attività

F. **A che ora parti?** *At what time do you leave?*
   A che ora arrivi? *At what time do you arrive?*

Imagine that you are traveling by train in Italy. The arrival and departure times are given at each stop. Answer the following questions:

ESEMPI: **A che ora parti da Palermo? Parto da Palermo alle tre.**
A che ora arrivi a Messina? Arrivo a Messina alle cinque e venticinque.

1. A che ora parti da Messina?
   A che ora arrivi a Reggio Calabria?
2. A che ora parti da Reggio Calabria?
   A che ora arrivi a Napoli?
3. A che ora parti da Napoli?
   A che ora arrivi a Roma?
4. A che ora parti da Roma?
   A che ora arrivi a Firenze?
5. A che ora parti da Firenze?
   A che ora arrivi a Bologna?
6. A che ora parti da Bologna?
   A che ora arrivi a Venezia?
7. A che ora parti da Venezia?
   A che ora arrivi a Milano?
8. A che ora parti da Milano?
   A che ora arrivi a Torino?

G. Parla italiano. Rispondete:

1. A che ora parti da casa?
2. A che ora arrivi a scuola?
3. A che ora mangi un tramezzino?
4. A che ora studi l'italiano?
5. A che ora vai a letto?
6. A che ora hai la lezione d'italiano?
7. A che ora hai la lezione d'inglese?

5. Lettura

Orari degli uffici

In Italia le banche aprono alle nove e chiudono alle quindici. Le banche sono aperte cinque giorni alla settimana.

I negozi aprono alle nove e chiudono alle tredici per il pranzo; poi riaprono alle quindici e, generalmente, chiudono alle venti. Altri uffici aprono alle nove e chiudono alle quattordici o alle diciassette.

orari degli uffici *office hours*

aperte *open*

negozi *stores*

Avete capito? Rispondete:

1. **A che ora apre la banca?**
2. **A che ora chiude la banca?**
3. **A che ora apre il negozio?**
4. **A che ora chiude il negozio?**
5. **A che ora apre l'ufficio?**
6. **A che ora chiude l'ufficio?**

STRUTTURA E PRATICA

1. Cosa vuol dire?

la spiaggia   il costume da bagno   l'albero

gli sci   il disco   la bibita

il caffè   nuotare

2. Vignette

È estate. Fa caldo.
I ragazzi e le ragazze vanno alla
   spiaggia.

Avete capito? Rispondete:

Che stagione è?
Che tempo fa in estate?
Dove vanno i ragazzi e le
   ragazze?

Alla spiaggia loro cantano.
Mario e Gina suonano la
   chitarra.
Franco beve una bibita.

Avete capito? Rispondete:

Chi canta?
Dove suonano la chitarra?
Che cosa beve Franco?

Le ragazze nuotano.

Avete capito? Rispondete:

Chi nuota?

Laura e Mirella sono nel
   negozio.
Comprano un costume da
   bagno.

Avete capito? Rispondete:

Dove sono Laura e Mirella?
Che cosa comprano?

Gli alunni sono in vacanza.
Nel caffè ascoltano i dischi e
  ballano.

Avete capito? Rispondete:

Chi è in vacanza?
Che cosa ascoltano?
Dove ballano?

Che estate meravigliosa!

Avete capito? Rispondete:

Com'è l'estate?

È inverno. Fa freddo.
Nevica: la neve è alta.
Liliana va in montagna.
Ha gli sci.
Sulla montagna ci sono alberi.

Avete capito? Rispondete:

Che stagione è?
Che cosa ha Liliana?
Com'è la neve?
Dove sono gli alberi?
Dove va Liliana?

Alfredo e Luisa sciano.

Avete capito? Rispondete:

Chi scia?

Attività

A. Complete each sentence with an appropriate word:

1. In _____ fa caldo.
2. Elena suona la _____.
3. Le ragazze ballano e _____.
4. Laura e Mirella comprano un _____ perchè vanno alla _____.
5. Andiamo alla _____ in _____ quando fa caldo.
6. In montagna i ragazzi _____ sulla neve.
7. Gli alunni ascoltano i _____ nel caffè.
8. I ragazzi cantano e le ragazze _____.
9. Luisa _____ sulla neve.
10. In inverno fa freddo e _____.

B. Someone makes several statements, but you do not understand them completely. Ask questions substituting the appropriate question word:

ESEMPIO: **La ragazza** balla.
Chi balla?

1. **I ragazzi** nuotano.
2. La neve è **alta.**
3. Enzo e Pina vanno **alla spiaggia.**
4. **Maria** suona la chitarra.
5. Liliana ha **gli sci.**
6. **Laura e Mirella** comprano un costume da bagno.

Attività

C. Parla italiano. Express in Italian:

ESEMPIO: *What a wonderful summer!*
Che estate meravigliosa!

1. What a fantastic spring!
2. What an intelligent boy!
3. What a nice girl!
4. What a wonderful beach!

NOTA E RAMMENTA
Che . . .! *What a . . .!*

Che estate meravigliosa!   Che bella ragazza!
Che pranzo delizioso!

D. Parla italiano. Express your feelings about the people or things you see in the classroom, using the following adjectives:

cattivo	brutto	bravo	ricco	interessante
simpatico	sincero	piccolo	atletico	meraviglioso
grande	timido	fantastico	romantico	

ESEMPI: Giorgio: **Che ragazzo simpatico!**

Signora Lattanzi: **Che professoressa intelligente!**

3. Grammatica: Plurale dei verbi in -*are*
Expressing what two or more people are doing

1. Frasi modello

Ripetete:

Mario e Gina suonano la chitarra. Loro suonano la chitarra.
I ragazzi ascoltano i dischi. Loro ascoltano i dischi.
Le ragazze cantano a scuola. Loro cantano a scuola.

Rispondete:

Chi suona la chitarra?   Dove cantano le ragazze?
Chi ascolta i dischi?   Ballano i ragazzi?
Chi canta?

2. Frasi modello

Ripetete:

Tu e Piero mangiate la torta. Voi mangiate la torta.
Tu e Alberto studiate l'italiano. Voi studiate l'italiano.
Tu e Lina guardate la televisione. Voi guardate la televisione.

Imitate l'esempio:

ESEMPIO: Loro studiano l'inglese.
Anche voi studiate l'inglese.

I ragazzi studiano molto.
Le ragazze mangiano l'insalata.
Loro guardano la televisione.
I ragazzi sciano.
Le ragazze ballano nel caffè.

NOTA E RAMMENTA

You have already learned the singular endings of the regular -are or first conjugation verbs:

io parlo	guardo	studio
tu parli	guardi	studi
lui/lei parla	guarda	studia

The plural forms are:

noi parliamo	guardiamo	studiamo
voi parlate	guardate	studiate
loro parlano	guardano	studiano

What ending is used when you speak about yourself and a friend?

What ending is used when you are addressing two or more people?

What ending is used when you speak about two or more people?

What is the plural form of the pronouns **lui** or **lei?**

What is the plural form of the pronoun **io?**

What is the plural form of the pronoun **tu?**

Observe now all the forms of the other regular **-are** verbs that you already know:

ascoltare	ballare	cantare	comprare	nuotare
io ascolto	ballo	canto	compro	nuoto
tu ascolti	balli	canti	compri	nuoti
lui/lei ascolta	balla	canta	compra	nuota
noi ascoltiamo	balliamo	cantiamo	compriamo	nuotiamo
voi ascoltate	ballate	cantate	comprate	nuotate
loro ascoltano	ballano	cantano	comprano	nuotano

sciare	suonare	preparare	mangiare
io scio	suono	preparo	mangio
tu scii	suoni	prepari	mangi
lui/lei scia	suona	prepara	mangia
noi sciamo	suoniamo	prepariamo	mangiamo
voi sciate	suonate	preparate	mangiate
loro sciano	suonano	preparano	mangiano

3. Frasi modello

Ripetete:

Tu e io sciamo in inverno. Noi sciamo in inverno.
Franco e io nuotiamo in estate. Noi nuotiamo in estate.
Marina e io balliamo nel caffè. Noi balliamo nel caffè.

Rispondete:

Sciate?   Quando nuotate?
Quando sciate?   Ballate?
Nuotate?   Dove ballate?

Attività

E. Complete each sentence with the correct form of the verb in parentheses:

1. (suonare) I ragazzi _____ la chitarra.
2. (comprare) Dino e Felice _____ un costume da bagno.
3. (nuotare) Voi _____ molto bene.
4. (parlare) Noi _____ italiano.
5. (studiare) In quale scuola _____ voi?
6. (parlare) Con chi _____ Mirella?
7. (guardare) Loro _____ la televisione nel salotto.
8. (preparare) Le ragazze _____ un tramezzino in cucina.
9. (sciare) Noi _____ in inverno.
10. (ballare) Con chi _____ Irene?
11. (ascoltare) I due amici _____ i dischi.
12. (cantare) Voi _____ sempre.
13. (nuotare) In estate i ragazzi _____.
14. (sciare) In inverno i signori _____.
15. (studiare) Franca e Fiorenza _____.
16. (parlare) Gli amici _____.

F. Answer the following questions according to the model:

ESEMPIO: **Loro nuotano. E voi?**
          Anche noi nuotiamo.

1. Aldo e Ugo comprano una bibita. E voi?
2. Noi passiamo le vacanze alla spiaggia. E voi?
3. Voi cantate. E loro?
4. Lei balla. E lui?

5. Loro sciano. E noi?
6. Carlo scia. E noi?
7. Io parlo inglese. E i ragazzi?
8. I ragazzi nuotano. E le ragazze?

G. Someone makes several statements, but you do not understand them completely. Ask questions substituting the appropriate question word for the bold word:

1. Noi compriamo **l'orologio.**
2. Noi suoniamo **la chitarra.**
3. Loro parlano **con la professoressa.**
4. Voi ballate **nel caffè.**
5. Le ragazze cantano **bene.**

H. Express what the boys and the girls are doing:

ESEMPIO: **parlare italiano (inglese)**
I ragazzi parlano italiano.
Le ragazze parlano inglese.

1. parlare spagnolo (francese)
2. sciare a Cortina (Aspen)
3. telefonare a Marco (a Tina)
4. visitare Pisa (Roma)
5. mangiare alle sei (alle sette)

I. Who is doing the following? Look carefully at the endings of each verb and complete the sentence with the correct subject pronoun:

ESEMPIO: _____ **parla al telefono.**
Lei **parla al telefono.**
Lui **parla al telefono.**

1. _____ parlano italiano.
2. _____ parlate inglese.
3. _____ telefoniamo alla professoressa.
4. _____ mangi un tramezzino.
5. _____ ballano bene.
6. _____ ascolto i dischi.
7. _____ studiate la matematica.
8. _____ sciano sulla neve.
9. _____ guardate il film alla televisione.
10. _____ canto.

4. Grammatica: Plurale del verbo *andare*
Expressing where two or more people are going

1. Frasi modello

Ripetete:

Mirella e Ida vanno alla spiaggia. Loro vanno alla spiaggia.
I ragazzi vanno a scuola. Loro vanno a scuola.
Le ragazze vanno al supermercato. Loro vanno al supermercato.

Rispondete:

Dove vanno Mirella e Ida?   Chi va a scuola?
Chi va alla spiaggia?   Dove vanno le ragazze?
Dove vanno i ragazzi?   Chi va al supermercato?

2. Frasi modello

Ripetete:

Tu e Gianni andate a casa. Voi andate a casa.
Tu e Marina andate alla banca. Voi andate alla banca.
Tu e Piero andate al parco. Voi andate al parco.

Imitate l'esempio:

ESEMPIO: I ragazzi vanno a scuola.
Anche voi andate a scuola.

Loro vanno a casa.   I ragazzi vanno al caffè.
Loro vanno al parco.   Loro vanno alla spiaggia.
Le ragazze vanno alla banca.

3. Frasi modello

Ripetete:

Carlo e io andiamo al cinema. Noi andiamo al cinema.
Tu e io andiamo al parco. Noi andiamo al parco.
Teresa e io andiamo alla spiaggia. Noi andiamo alla spiaggia.

Rispondete:

Andate al cinema?   Dove andate?
Dove andate?   Andate alla spiaggia?
Andate al parco?   Dove andate?

NOTA E RAMMENTA

You already know the singular forms of the verb **andare:**

io *vado*
tu *vai*
lui/lei *va*

Now learn the plural forms:

noi *andiamo*
voi *andate*
loro *vanno*

Attività

J. Complete each sentence with the appropriate form of **andare:**

1. Noi _____ alla spiaggia.
2. Dove _____ voi?
3. Le ragazze _____ nel salotto.
4. Giorgio e Gianna _____ al cinema.
5. Tu e io _____ a casa.
6. Chi _____ in montagna?
7. _____ a letto voi?
8. Loro _____ all'ospedale.
9. In estate noi _____ in campagna.
10. Tu e lei _____ alla villa.

5. Cosa vuol dire?

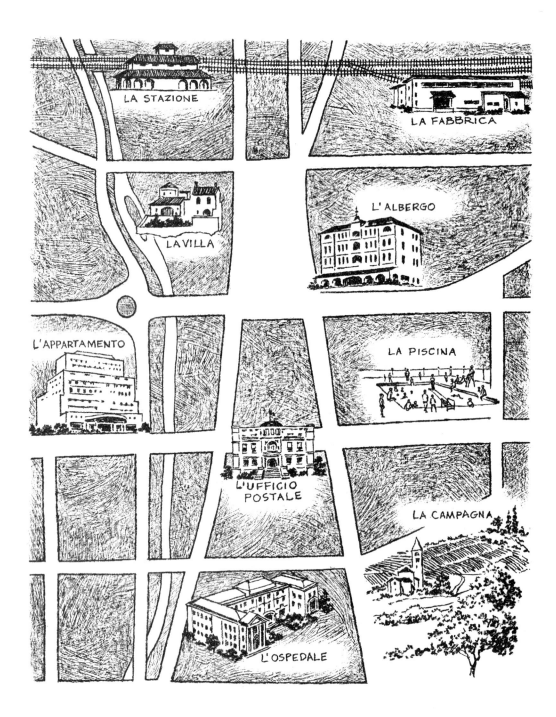

Attività

K. Answer each question with a complete sentence:

1. Andate alla spiaggia?
2. Vai in cucina?
3. Vanno in chiesa?
4. Vado in piazza?
5. Dove andate?
6. Gianfranco va a scuola?
7. Balli quando vai al caffè?
8. Chi va in piscina?
9. Quando andiamo al cinema?
10. Suonate la chitarra quando andate al mare?

L. Answer the questions using the subject pronouns in parentheses and the correct form of the verb **andare**:

ESEMPIO: **Chi va alla spiaggia? (voi) Voi andate alla spiaggia.**
         Quando?   Dopo scuola.

1. Chi va a casa? (io) Quando?
2. Chi va alla banca? (loro) Quando?
3. Chi va alla stazione? (voi) Quando?
4. Chi va alla posta? (Mario) Quando?
5. Chi va in piscina? (tu) Quando?
6. Chi va all'ospedale? (il professore) Quando?
7. Chi va all'albergo? (i Signori Rossi) Quando?
8. Chi va alla villa? (noi) Quando?
9. Chi va in campagna? (tu e io) Quando?
10. Chi va alla fabbrica? (loro) Quando?

6. Grammatica: Articoli determinativi con nomi comincianti per *s* impura, *z* e vocali
*l'*amico   *gli* amici

Frasi modello

Ripetete:

L'amico di Mario è simpatico.
Nel bagno c'è lo specchio.

Il fratello del papà è lo zio.
Gli zii di Cristina vanno in Italia.
Loro comprano gli specchi nel negozio.
Gli amici parlano con Beatrice.

Rispondete:

Chi è simpatico?
Che cosa c'è nel bagno?
Chi è il fratello del papà?
Chi va in Italia?
Che cosa comprano nel negozio?
Chi parla con Beatrice?

NOTA E RAMMENTA

You have already learned the definite articles that accompany masculine and feminine nouns:

il ragazzo	*i* ragazzi
la ragazza	*le* ragazze

lo is the definite article for masculine nouns beginning with z or s plus another consonant:

lo zio   *lo* specchio

l' is the definite article for masculine nouns beginning with a vowel:

*l'*amico   *l'*orto

gli is the plural form for **lo** and **l'** (masculine nouns):

gli zii   *gli* specchi   *gli* amici

Attività

M. Choose the correct definite article:

1. (i, gli, le) _____ amici vanno alla spiaggia.
2. (la, lo, gli) Lui compra _____ sci.
3. (lo, il, l') _____ orto è vicino alla casa.
4. (il, la, lo, gli, l', le) _____ zio di Antonio è _____ amico del professore.
5. (l', lo, il) Nella classe non c'è _____ orologio.

   6. (le, gli, i) _____ alunni non sono a scuola.
   7. (i, le, gli) Nell'orto ci sono _____ alberi.
   8. (i, gli, lo) _____ uffici della scuola sono belli.

N. Complete the following sentences with the correct form of the definite article:

   1. _____ ospedale è vicino alla scuola.
   2. _____ appartamento è bello.
   3. _____ zii di Gianni sono italiani.
   4. _____ amici sono simpatici.
   5. _____ dottore non ha _____ studio.
   6. _____ ragazza non ha _____ specchio.
   7. _____ casa di Renzo non ha _____ orto.
   8. _____ ragazze non hanno _____ orologio.
   9. _____ amiche di Mario sono americane.
  10. _____ spiaggia di Roma è bella.

7. Grammatica: Articolo indeterminativo con nomi comincianti per *s* impura e *z*
uno specchio   *uno* zio

Frasi modello

Ripetete:

   La ragazza ha uno specchio.
   Io ho uno zio.

Rispondete:

   Che cosa ha la ragazza?
   Quanti zii hai?

Attività

O. Complete the following sentences with the correct form of the indefinite article:

   1. Loro hanno _____ zio molto buono.
   2. Io ho soltanto (*only*) _____ sci.
   3. Marisa compra _____ specchio per la camera.

4. Il numero sessanta ha _____ sei e _____ zero.
5. Il tennis è _____ sport interessante.
6. Giorgio è _____ alunno diligente.
7. Marina è _____ amica sincera.
8. Nell'orto c'è _____ albero vecchio.

NOTA E RAMMENTA

You have already learned the indefinite articles that accompany feminine and masculine nouns:

un ragazzo   *una* ragazza

uno is the indefinite article for masculine nouns beginning with s plus another consonant or z:

uno specchio   *uno* zio

Remember that the indefinite article for masculine nouns beginning with a vowel is **un** and for feminine nouns beginning with a vowel, **un':**

un amico   *un'*amica

LEZIONE 21

1. Dialogo

Alla spiaggia

RITA: **Che caldo! Perchè non andiamo alla spiaggia?**

VIVIANA: **Buona idea. Nuoti bene tu?**

RITA: **Sì, abbastanza bene. E tu?**   **abbastanza** *rather*

VIVIANA: **Anch'io.**

RITA: **Ecco Luisa! Ha la chitarra.**   **ecco** *here is*

VIVIANA: **Vai alla spiaggia, Luisa?**

LUISA: **Sì, vado alla spiaggia.**

RITA: **Benissimo! Così prima nuotiamo e poi Luisa suona**   **benissimo** *very well*
       la chitarra e noi cantiamo!

Avete capito? Rispondete:

1. **Che tempo fa?**
2. **Dove vanno le ragazze?**
3. **Nuota bene Viviana?**
4. **Che cosa ha Luisa?**
5. **Chi suona la chitarra?**
6. **Chi canta?**

Attività

A. Parla italiano. Make up a dialog with one of your classmates, similar to the one you have just read, but change the title to "In montagna in inverno."

2. Lettura

Un'estate a Viareggio

Viviana passa il mese di agosto al mare. In agosto fa molto caldo a Firenze, dove Viviana abita.

In agosto Viviana va a Viareggio, una cittadina sul mare, non molto lontana da Firenze, con una bella spiaggia.

cittadina *small city*
lontana *far*

Viviana va alla spiaggia con un gruppo di amici; tutti studiano nella stessa scuola e in agosto sono in vacanza. Ogni giorno vanno alla spiaggia: nuotano, mangiano e bevono una bibita. A volte suonano la chitarra e cantano. Dopo due o tre ore in spiaggia, vanno al caffè dove ascoltano i dischi e ballano.

stessa *same*
bevono *they drink*
a volte *sometimes*

È un'estate meravigliosa!

Avete capito? Rispondete:

1. **Dove passa il mese di agosto Viviana?**
2. **Dove abita Viviana?**
3. **Com'è la spiaggia di Viareggio?**
4. **Dov'è Viareggio?**
5. **Con chi va alla spiaggia Viviana?**
6. **Dove studiano Viviana e gli amici?**
7. **Dove vanno ogni giorno?**
8. **Com'è l'estate?**

Attività

B. **Vero** o **falso?** If your answer is **falso,** correct the statement:

1. A Firenze in agosto fa fresco.
2. Viviana va a Viareggio in estate.
3. Viareggio è una grande città.
4. Gli studenti non sono a scuola perchè è vacanza.
5. Alla spiaggia i ragazzi ballano.
6. Stanno sulla spiaggia venti minuti.
7. I ragazzi ascoltano i dischi sulla spiaggia.

C. Componimento. Write a short paragraph in which you answer the following questions:

1. In che stagione è agosto?
2. Gli alunni sono in vacanza in agosto?
3. Dove vanno i ragazzi quando fa caldo?
4. Che cosa fanno sulla spiaggia?
5. Dopo la spiaggia dove vanno?
6. Che cosa ascoltano nel caffè?
7. Ballano nel caffè?
8. Sono contenti?

D. Domande personali:

1. Hai molti amici a scuola?
2. Studi l'inglese? l'italiano? la matematica? la storia?
3. Dove vai dopo scuola?
4. Vai a casa o al caffè?
5. Bevi una bibita?
6. Ascolti i dischi?
7. Quali dischi ascolti?
8. Quando hai le vacanze?
9. Vai alla spiaggia?
10. Abiti vicino o lontano dal mare?
11. Nuoti molto?
12. Suoni la chitarra?
13. Balli bene?
14. In inverno vai in montagna?
15. Scii in montagna?
16. Hai gli sci?

3. Lettura culturale

Le vacanze degli Italiani

In agosto molti Italiani vanno in vacanza in montagna, al mare o ai laghi. Le città sono deserte.

In alta montagna, dove c'è sempre neve, alcuni Italiani sciano. È meraviglioso sciare in agosto, quando dappertutto fa caldo! I paesi di montagna più popolari sulle Alpi sono Cortina

molti *many*

alcuni *some*
dappertutto *every-where*
più *most*

d'Ampezzo, Madonna di Campiglio e il Sestriere; sugli Appennini, invece, sono famosi l'Abetone e il Terminillo.

invece *instead*

Al mare gli Italiani passano il mattino e il pomeriggio in spiaggia. In spiaggia nuotano e prendono il sole. La sera, dopo cena, vanno al caffè o in discoteca. Al caffè mangiano, bevono e ascoltano dischi. In discoteca ballano e cantano. A volte vanno al cinema. In Italia ci sono spiagge molto belle: famose sono quella di Rimini sul Mare Adriatico, e quella di Viareggio sul Mare Tirreno. Posti attraenti e incantevoli sono anche Capri, nel golfo di Napoli, e Taormina, in Sicilia.

prendono il sole *sun-bathe*
cena *dinner*

quella *the one*
attraenti *attractive*

Anche il Lago di Garda, il Lago di Como, il Lago Maggiore e i piccoli e pittoreschi laghi di montagna attirano molti Italiani.

attirano *attract*

In estate gli Italiani hanno un solo pensiero: rilassarsi e divertirsi.

un solo pensiero *one thought*
rilassarsi *to relax*
divertirsi *to enjoy themselves*

Attività

E. Cosa vuol dire? The following Italian words have related English words. Can you identify them?

1. deserto   2. pittoresco   3. rilassarsi

F. Impara e parla. Answer the following questions according to the reading:

1. Quando vanno in vacanza molti Italiani?
2. Dove vanno in vacanza?
3. Come sono le città in agosto?
4. C'è sempre neve in montagna?
5. Perchè è meraviglioso sciare in estate?
6. Quando fa caldo?
7. Quali paesi sulle Alpi sono popolari?
8. Quali paesi sugli Appennini sono famosi?
9. Al mare, come passano il mattino e il pomeriggio gli italiani?
10. Quando vanno al caffè?
11. Dove mangiano e bevono?
12. Dove ballano?
13. Dove vanno a volte?
14. Dov'è Viareggio? E Rimini? E Taormina?
15. Come sono i laghi di montagna?
16. Come si chiamano i tre laghi più famosi?
17. Qual è il solo pensiero degli Italiani in estate?

G. Dov'è? By looking at the map, tell which city or place listed in the right column, is near a city listed in the left column:

ESEMPIO: **Cortina d'Ampezzo è vicino a Belluno.**

Taormina	Palermo
Sestriere	Ravenna
Campiglio	Bologna
Como	Pisa
Viareggio	Roma
Abetone	Trento
Rimini	Verona
Terminillo	Milano
Capri	Torino
Lago di Garda	Napoli

H. Complete the following sentences:

1. In agosto le città italiane sono _____ perchè molti Italiani vanno in
   _____.

2. In alta montagna, in agosto, gli Italiani _____.
3. Sulle Alpi sono famosi _____, il _____ e _____.
4. Sugli Appennini sono famosi il _____ e l'_____.
5. Alla spiaggia gli Italiani _____ e _____.
6. Alla sera vanno al _____, alla _____ o al _____.
7. Gli Italiani vanno in vacanza anche ai _____.

4. Ripasso

NOMI		VERBI
l'albero	la notte	arrivare
l'albergo	l'ora/le ore	ascoltare
l'appartamento	l'ospedale	ballare
il bagno	la piscina	cantare
la banca	la poltrona	nevicare
la bibita	il pomeriggio	nuotare
il caffè	la porta	partire
la campagna	lo sci/gli sci	sciare
la chitarra	la scrivania	suonare
il costume da bagno	la sedia	
la cucina economica	lo specchio	PAROLE VARIE
il disco/i dischi	la spiaggia	che
il divano	la stazione	meno
la fabbrica	il tappeto	mezzo
la finestra	il tetto	mezzogiorno
il frigorifero	l'ufficio postale	mezzanotte
la lampada	la vacanza	questa
il lavandino	la villa	questo
la mattina	lo zio/gli zii	
il mattino		
la montagna	AGGETTIVI	
il negozio	meraviglioso	
la neve		

ESPRESSIONI E FRASI

Che ora è?	È mezzogiorno.
Che ore sono?	Sono le due.
A che ora parti?	Alle dieci del mattino.
A che ora arrivi?	Alle tre del pomeriggio.
A che ora vai a letto?	Alle undici di sera.
È l'una.	È mezzanotte.

Attività

I. **Parla italiano.** Tell the class as much as you can about the pictures below. Then ask your classmates a question about each picture:

1.

2.

3.

J. **Parla italiano.** Tell your classmates at what time each class is:

ESEMPIO: **La lezione di matematica è alle nove.**

1. 10:00 Scienze
2. 11:30 Inglese
3. 12:15 Italiano
4. 13:00 Storia
5. 13:45 Musica
6. 14:30 Arte

K. Che ore sono?

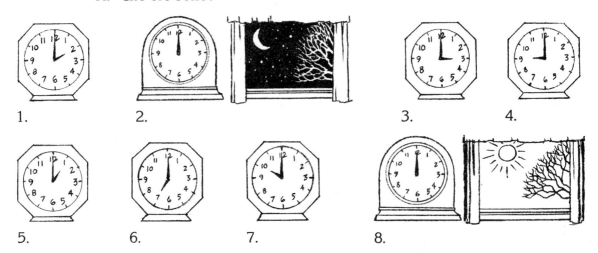

1.   2.   3.   4.

5.   6.   7.   8.

L. Ascolta l'italiano. You will hear various times in Italian. Write each time in numerals:

> ESEMPIO: You hear: **Sono le due e mezzo.**
> You write: **2:30 A.M.**

M. Complete each sentence with the correct form of the verb in parentheses:

1. (guardare) Io _____ Marisa.
2. (sciare) Tina _____ in montagna.
3. (nuotare) Io _____ al mare.
4. (passare) Tu _____ l'inverno a Viareggio.
5. (esaminare) Il dottore _____ la gola.
6. (cantare, ballare) Io _____ e tu _____.

N. Change each sentence to the singular:

1. Andiamo al supermercato.
2. Voi andate a casa.
3. Loro vanno a Roma.
4. I ragazzi vanno alla spiaggia.
5. Gli alunni vanno a scuola.

O. Completa in italiano. Complete the paragraph with words that fit both logically and structurally:

Giorgio _____ un ragazzo. _____ è simpatico e anche intelligente. Lui _____ in un piccolo paese vicino al mare. Lui vive in una casa _____. In inverno, quando fa _____, Giorgio _____ in montagna. Nella montagna lui _____. Ci sono _____ alberi nella montagna.

Capitolo 8

LEZIONE 22

LINGUA VIVA

1. **I mezzi di trasporto** (*Means of transportation*)
2. **Cortesie** (*Courtesies*)

LEZIONE 23

STRUTTURA E PRATICA

1. **Cosa vuol dire?**
2. **Vignette**
3. **Grammatica: Plurale dei verbi in** *-ere* **e in** *-ire*
4. **Grammatica: Verbi in** *-ire* **con** *-isc-*
5. **Grammatica: Nomi e aggettivi in** *-e*

LEZIONE 24

INTERMEZZO

1. **Dialogo: Alla stazione ferroviaria**
2. **Lettura: Un viaggio in Italia**
3. **Lettura culturale: Come viaggiare in Italia**
4. **Ripasso**
5. **Controllo della lingua**

Lezione 22

1. I mezzi di trasporto (Means of transportation)

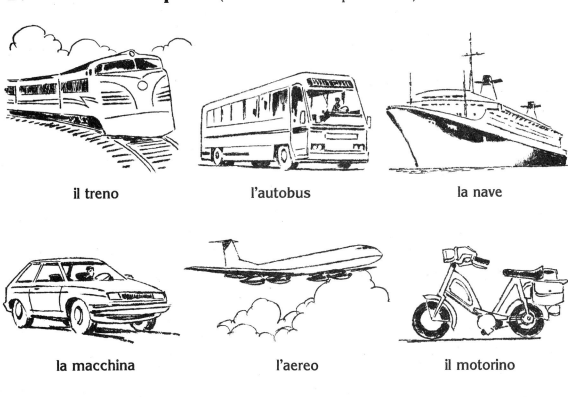

il treno   l'autobus   la nave

la macchina   l'aereo   il motorino

a piedi

215

Attività

A. Rispondi:

1. Come vai a scuola? In macchina, in bicicletta, in autobus, in motorino o a piedi?
2. Come vai in Italia? In nave, in aereo o in treno?
3. Come vai a New York? In macchina, in treno o in aereo?
4. Come vai a Los Angeles? Prendi (*Do you take*) l'autobus?
5. Come vai a casa del tuo amico?
6. Come va al lavoro tuo padre?
7. Come va al lavoro tua madre?
8. Come vanno al cinema i ragazzi?
9. Come va alla stazione Caterina?
10. Come andiamo all'aeroporto?

B. The graph below shows an average pattern of how Italian people go to work.

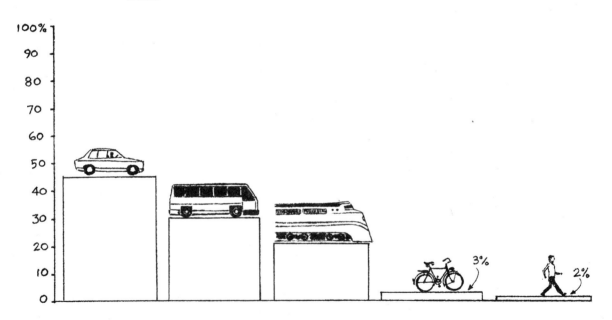

By looking at the graph, express in Italian the following percentages:

ESEMPIO: 45% **Il quarantacinque per cento va al lavoro in macchina.**

1. 30%   2. 20%   3. 3%   4. 2%

2. **Cortesie** (Courtesies)

Entri, per favore.
Come in, please.

Grazie, grazie mille!
Thanks, thanks very much.

Prego!
You are welcome!

Oh, scusi!
Excuse me!

Apri la finestra, per favore.
Open the window, please.

Volentieri.
Gladly.

Attività

C. Parla italiano. Ask your teacher:

    ESEMPIO: **Scusi, posso** (*may I*) **telefonare a mia madre?**

    1. if you may have the Italian book.
    2. if you may have a piece of paper.
    3. if you may have a piece of chalk.
    4. if you may go to the blackboard.
    5. if you may return to your desk.
    6. if you may eat a sandwich.
    7. if you may read.
    8. if you may write on the blackboard.
    9. if you may talk to Marisa.
   10. if you may open the window.

D. Parla italiano. Ask one of your classmates if he/she could do you the following favors:

    ESEMPIO: Tu: **Mario, puoi** (*could you*) **aprire la porta?**
              MARIO: **Volentieri!**
              Tu: **Grazie.**
              MARIO: **Prego.**

    1. Buy a pizza.   4. Dance with you.
    2. Go to the beach.   5. Play the guitar.
    3. Sing.   6. Listen to the records.

NOTA E RAMMENTA

Per favore, per piacere, and **per cortesia** all mean *please.*

Buon appetito!   **Grazie, altrettanto!**
Enjoy the meal!   *Thanks, the same to you!*

On December 25,
you say:

Buon Natale!
Auguri!
Best wishes!

On January 1,
you say:

Buon anno!
Auguri!

At Easter,
you say:

Buona Pasqua!
Auguri!

Buon compleanno! Auguri!
Happy birthday!

Buon viaggio!
Have a nice trip!

Mi dispiace.
I am sorry.

Salute!
God bless you!

Pronto? Con chi parlo?
Hello? To whom am
I speaking?

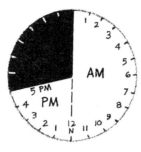

Buon giorno!
Good morning!
Good afternoon!

Buona sera!
Good afternoon!
Good evening!

Buona notte!
Good night!

Attività

E. Parla italiano. What would you say to the persons in the situations showed by the pictures?

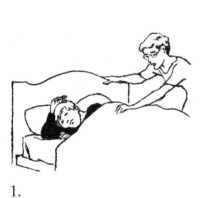

1.   2.   3.

4.

5.

9.

6.

10.

7.

11.

8.

12.

IN ITALIA

CINEMA

Arcobaleno-Venezia, V.le Tunisia 11
(Ore 20.00, 22.30; L.6000)
«Il gioco del falco» (drammatico)
T. Hutton, S. Penn, Reg. J.
  Schlesinger

Tiffany-Venezia, C.so Buenos Aires 39
(Ore 20.00, 22.30; L.6000)
«Una poltrona per due» (brillante)
E. Murphy, D. Akroyd, Reg. J. Landis

Perla-Venezia, V. degli Imbriani 19
(Apertura ore 20.00; L.2500-3500)
«Terminator» (fantascienza)
A. Schwarzenegger

Argentina-Venezia, P.za Argentina 4
(Apertura ore 18.00; L.3000)
«Adele H.»
I. Adjani, Reg. F. Truffaut

Notice the addresses in the advertisements:

Via (abbreviated V.) means street or avenue.

Corso (abbreviated C.so) is a central and busy street of the city or town.

Viale (abbreviated V.le) means boulevard.

Piazza (abbreviated P.za) means square.

Note that the house numbers, unlike in the United States, are given after the street name:

Dov'è il Cinema Argentina? È in piazza Argentina numero 4.

Now with the information above you may ask your classmates:

Qual è il tuo indirizzo (*address*)?

They may answer:

Via Talbot, numero quindici.
Viale Sunset, numero diciassette.

And so on.

STRUTTURA E PRATICA

1. Cosa vuol dire?

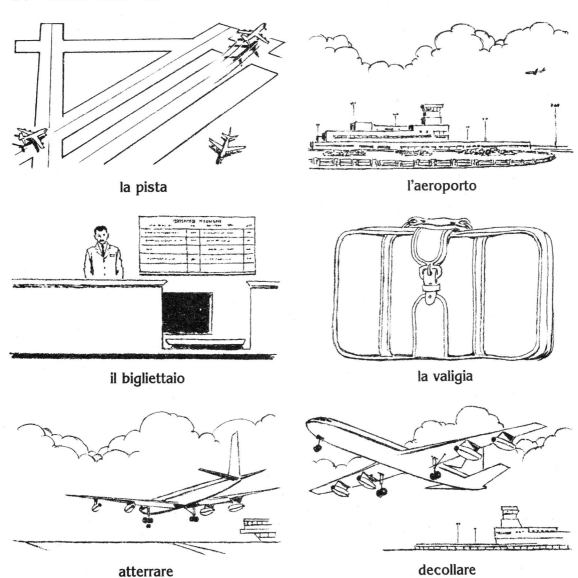

la pista

l'aeroporto

il bigliettaio

la valigia

atterrare

decollare

partire

vedere

2. Vignette

Mark e Jenny sono
   all'aeroporto.
Loro partono per l'Italia.
Mark e Jenny vanno in aereo.

Avete capito? Rispondete:

1. Chi è all'aeroporto?
2. Per dove partono Mark e
   Jenny?
3. Come vanno in Italia?

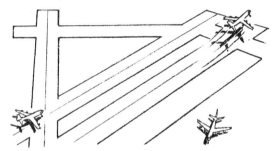

Gli aerei sono sulla pista.
Un aereo decolla dalla pista e
   uno atterra sulla pista. Noi
   vediamo gli aerei.

Avete capito? Rispondete:

1. Dove sono gli aerei?
2. Atterrano gli aerei?
3. Decollano gli aerei?

Mark e Jenny sono alla
  stazione ferroviaria di Roma.
Hanno una valigia.
Parlano al bigliettaio.
Parlano italiano ma non
  capiscono bene.
Comprano i biglietti.
Prendono il treno per Firenze.

John e Mary ricevono una
  lettera.
Aprono la lettera.
Leggono la lettera.
È la lettera di Mark e Jenny.
Loro sono in Italia.

Avete capito? Rispondete:

1. Chi è alla stazione?
2. A chi parlano?
3. Capiscono bene l'italiano?
4. Che cosa comprano?
5. Che cosa prendono?
6. Dove vanno?

Avete capito? Rispondete:

1. Che cosa ricevono John e
   Mary?
2. Aprono la lettera?
3. Leggono la lettera?
4. Di chi è la lettera?

Attività

A. Answer the following questions based on the model sentences:

1. Rosalba compra due biglietti alla stazione ferroviaria di Roma.
   Chi compra i biglietti?
   Quanti biglietti compra?
   Dove compra i biglietti?
   Dov'è la stazione?
2. John e Mary ricevono una lettera da un amico in Italia.
   Chi riceve una lettera?
   Dov'è l'amico?
   Che cosa ricevono John e Mary?

B. Vero o falso? If your answer is **falso,** correct the statement:

1. Mark e Jenny sono a Roma.
2. Prendono il treno per l'America.
3. L'aereo decolla dalla pista.
4. Anche i treni decollano.
5. Gli aerei sono alla stazione ferroviaria.

C. Match the definitions in the left column with the expressions in the right column:

1. dove gli aerei decollano e atterrano.   a. aeroporto
2. dove prendiamo l'aereo.   b. il bigliettaio
3. dove prendiamo il treno.   c. la pista
4. la persona che vende i biglietti.   d. la stazione ferroviaria

D. Parla italiano. Tell the class what you see in the classroom:

ESEMPIO: **Vedo il professore.**

E. Parla italiano. Tell the class what means of transportation you take to go to the places listed below:

ESEMPIO: **Per andare a scuola prendo l'autobus.**

1. Per andare a Los Angeles _____.
2. Per andare al parco _____.
3. Per andare a New York _____.
4. Per andare al supermercato _____.
5. Per andare nell'isola _____.

3. Grammatica: Plurale dei verbi in -*ere* e in -*ire*
Expressing what two or more people are doing

1. Frasi modello

Ripetete:

Mario e Rosalba prendono il treno. Loro prendono il treno.
Lucia e Gianni partono alle sette e mezzo. Loro partono alle sette e mezzo.
Le ragazze ricevono una lettera. Loro ricevono una lettera.
Maria e Grazia aprono la lettera. Loro aprono la lettera.

Rispondete:

Chi prende il treno?	Chi riceve una lettera?
Che cosa prendono loro?	Che cosa ricevono loro?
Chi parte alle sette e mezzo?	Chi apre la lettera?
A che ora partono loro?	Che cosa aprono?

2. Frasi modello

Ripetete:

Tu e Maria aprite il libro. Voi aprite il libro.
Tu e la ragazza leggete il libro. Voi leggete il libro.
Tu e Gianni partite a mezzanotte. Voi partite a mezzanotte.

Imitate l'esempio:

ESEMPIO: **Loro prendono l'autobus.**
Anche voi prendete l'autobus.

Loro partono alle due.	I ragazzi aprono il regalo.
Loro leggono la lettera.	Loro prendono il treno.

NOTA E RAMMENTA

You have already learned the singular forms for the **-ere** and **-ire** regular verbs:

	prend*ere*	conosc*ere*	apr*ire*	part*ire*
io	prend*o*	conosc*o*	apr*o*	part*o*
tu	prend*i*	conosc*i*	apr*i*	part*i*
lui/lei	prend*e*	conosc*e*	apr*e*	part*e*

Observe how all the singular forms are the same in the two conjugations.

In the plural forms, the endings are also the same, except for the second person plural **voi:**

noi	prend*iamo*	conosc*iamo*	apr*iamo*	part*iamo*
voi	prend*ete*	conosc*ete*	apr*ite*	part*ite*
loro	prend*ono*	conosc*ono*	apr*ono*	part*ono*

How do the **voi** forms differ?

3. Frasi modello

Ripetete:

Tu e io partiamo. Noi partiamo.
Gianni e io prendiamo l'aereo. Noi prendiamo l'aereo.
Ida e io vediamo Giorgio. Noi vediamo Giorgio.
Luisa e io leggiamo il libro. Noi leggiamo il libro.

Rispondete:

Chi parte?   Chi vede Giorgio?
Partite?   Vedete Giorgio?
Chi prende l'aereo?   Chi legge il libro?
Prendete l'aereo?   Leggete il libro?

Attività

F. Answer the following questions with a complete sentence:

1. Che cosa vedete al cinema?   6. Ricevi molti regali?
2. Vendi la casa?   7. Scrivi un libro?
3. Leggi un libro?   8. Prendete una bibita?
4. Vivete in America?   9. Conosci Mario?
5. Sentite la motocicletta?   10. Aprite la finestra?

G. Complete each sentence with the correct form of the verb:

1. (ricevere) Gianni e Maria _____ la lettera.
2. (aprire) Loro _____ la lettera.
3. (andare) Loro _____ a Viareggio.
4. (comprare) Loro _____ i biglietti.
5. (vendere) Il bigliettaio _____ i biglietti.
6. (prendere) Loro _____ il treno per Viareggio.

H. Answer the following questions according to the model:

ESEMPIO: **Vedo la chiesa nella piazza. E voi?**
         Anche noi vediamo la chiesa.

1. Lui vende la verdura. E le signore?
2. Io leggo un libro. E i ragazzi?

3. Loro scrivono a casa. E tu?
4. Noi riceviamo un regalo. E voi?
5. Io apro la finestra. E lei?
6. Tu vivi in montagna. E voi?
7. Lui dorme tutta la notte. E noi?
8. Loro prendono l'autobus. E gli studenti?
9. Io parto alle sette. E tu?
10. Tu conosci il professore. E lei?

I. Change the following sentences to the plural:

1. Vendo giornali.
2. Lei legge un libro.
3. Tu vedi l'aereo.
4. Io scrivo una lettera.
5. Tu ricevi un regalo.

6. Io dormo bene.
7. Il treno parte alle nove.
8. Il ragazzo prende il treno.
9. Io conosco l'italiano.
10. Tu apri la porta.

4. Grammatica: Verbi in *-ire* con *-isc-*

Frasi modello

Ripetete:

Io capisco l'italiano.
Tu non capisci l'italiano.
Lui capisce lo spagnolo.
Noi non capiamo il francese.
Voi finite il libro.
Loro finiscono la torta.

Rispondete:

Capisci l'italiano?
Capisce lo spagnolo?
Capite il francese?
Chi finisce il libro?
Chi finisce la torta?

NOTA E RAMMENTA

There is a group of verbs in the **-ire** family that inserts **-isc-** between the verb stem and the verb endings in all the singular forms and in the third person plural:

	capire	finire
io	cap*isc*o	fin*isc*o
tu	cap*isc*i	fin*isc*i
lui/lei	cap*isc*e	fin*isc*e
noi	capiamo	finiamo
voi	capite	finite
loro	cap*isc*ono	fin*isc*ono

Which are the two regular forms of these verbs?

Attività

J. Add the appropriate verb endings:

1. Lui fin___ la storia.
2. Io cap___ gli studenti.
3. Loro fin___ il viaggio.
4. Tu cap___ tutto.
5. Voi fin___ il pranzo.
6. Noi cap___ il ragazzo francese.
7. Lei fin___ di leggere il giornale.
8. Loro cap___ le regole.
9. Tu fin___ di studiare.
10. Voi cap___ la situazione.

5. Grammatica: Nomi e aggettivi in *-e*

Frasi modello

Ripetete:

Noi vediamo una nave inglese.
Lo studente è intelligente.
Nella stazione c'è un caffè.

Il dottore va all'ospedale.
In città ci sono molti ospedali.
In inverno le notti sono fredde.
Gli studenti hanno il raffreddore.

Rispondete:

Che cosa vedete?   Dove va il dottore?
Com'è lo studente?   Che cosa c'è in città?
Che cosa c'è nella   Come sono le notti in inverno?
    stazione?   Chi ha il raffreddore?

NOTA E RAMMENTA

You are already familiar with the nouns **televisione, paese, dottore, febbre, stazione, ospedale, nave, notte, nazione.**

You are also familiar with the adjectives **tradizionale, inglese, triste, paziente, giovane, intelligente, interessante.**
Notice that these nouns and adjectives all end in **e.**
Nouns and adjectives ending in **e** have plural ending in **i:**

il dottore intelligente   i dottori intelligenti
la nave inglese   le navi inglesi
lo studente americano   gli studenti americani
il giornale interessante   i giornali interessanti
lo studente paziente   gli studenti pazienti
la ragazza inglese   le ragazze inglesi

How do you form the plural of an adjective ending in **e?**

Does it matter whether it is masculine or feminine?

Can you use an adjective ending in **o** or in **a** with a noun ending in **e?** Can you use a noun ending in **o** or in **a** with an adjective ending in **e?**

Remember that you cannot tell if a noun ending in **e** is masculine or feminine: you must memorize it.

Attività

K. Give the appropriate definite article for each of the following nouns:

1. _____ stazione   6. _____ televisioni
2. _____ ragazze   7. _____ paese
3. _____ nazioni   8. _____ biglietti
4. _____ febbre   9. _____ ospedale
5. _____ macchine   10. _____ giornali

L. Change the following to the plural:

1. la stazione grande
2. la notte calda
3. il giornale interessante
4. la ragazza bella
5. il dottore paziente

M. Change the following to the singular:

1. i paesi piccoli
2. i mercati tradizionali
3. gli ospedali moderni
4. le navi americane
5. i biglietti ferroviari

N. Give the correct ending for each noun and each adjective:

1. La nav___ è american___.
2. Le ragazz___ sono molto intelligent___.
3. La television___ è bell___.
4. I dottor___ sono brav___.
5. L'ospedal___ è grand___.
6. Le nott___ sono cald___.
7. Gli student___ leggono il giornal___.
8. Il dottor___ non è giovan___.
9. Le ragazz___ sono trist___.
10. I paes___ sono piccol___.

LEZIONE 24

INTERMEZZO

1. Dialogo

Alla stazione ferroviaria

JENNY:	**Mark, hai il biglietto per il treno?**
MARK:	**No. Chi vende i biglietti?**
JENNY:	**Il bigliettaio.**
MARK:	**Dov'è il bigliettaio?**
JENNY:	**Eccolo!**
MARK:	**Scusi, signore, posso avere due biglietti di andata e ritorno, per favore?**
BIGLIETTAIO:	**Dove andate?**
JENNY:	**A Firenze.**
BIGLIETTAIO:	**In prima o seconda classe?**
MARK:	**In prima classe. A che ora parte il treno?**
BIGLIETTAIO:	**Alle venti e trenta.**
MARK:	**Che ore sono adesso?**
BIGLIETTAIO:	**Ecco l'orologio! Sono le tredici e venti.**
JENNY:	**Da che binario parte il treno?**
BIGLIETTAIO:	**Dal binario numero tre.**
MARK:	**Grazie mille, signore.**
BIGLIETTAIO:	**Prego! Buon viaggio!**

eccolo! *here he is!*

andata e ritorno *round-trip*

adesso *now*

binario *track*

Avete capito? Rispondete:

1. Mark ha i biglietti per il treno?
2. Chi vende i biglietti?
3. Che biglietti comprano Mark e Jenny?
4. Dove vanno?
5. In quale classe viaggiano?
6. A che ora parte il treno?
7. Da dove parte il treno?

Attività

A. **Parla italiano.** Choose a partner in the class and reenact the dialog "Alla stazione," changing destination, train schedule, and track.

2. Lettura

Un viaggio in Italia

La professoressa e gli studenti della classe d'italiano vanno in Italia durante le vacanze.

Prendono l'aereo dell'Alitalia all'aeroporto internazionale di New York. L'aereo decolla alle diciannove e trenta.

Dopo otto ore di volo, l'aereo atterra all'aeroporto internazionale di Roma. Un autobus porta gli studenti all'albergo, nel centro della città. Visitano tutti i monumenti di Roma: il Vaticano, il Colosseo, la Fontana di Trevi e il Foro Romano. Poi prendono il treno e vanno a Firenze, dove fotografano la statua del Davide, le Porte del Paradiso e il Ponte Vecchio.

volo *flight*

paradiso *paradise*

Dopo Firenze, gli studenti vanno a Venezia. Venezia è una città interessante e caratteristica; non ci sono larghe strade, ma ci sono grandi canali; non ci sono automobili e motociclette, ma ci sono vaporetti, gondole e barche di ogni tipo. È una città molto romantica.

larghe *wide*

barche *boats*

Dopo quindici giorni gli studenti ritornano in America. Che viaggio meraviglioso!

Avete capito? Rispondete:

1. Quando vanno in Italia gli studenti?
2. Che lingua studiano?
3. Com'è l'aeroporto?
4. Dov'è l'aeroporto?
5. Dopo quante ore di volo atterra l'aereo?
6. Come vanno all'albergo gli studenti?
7. Dov'è l'albergo?
8. Quali monumenti visitano a Roma?
9. Quali monumenti visitano a Firenze?
10. Dopo Firenze, dove vanno gli studenti?
11. Com'è Venezia?
12. Dopo quanti giorni ritornano in America?

Attività

B. Complete each sentence by choosing the right expression:

1. Gli studenti vanno
   (a) in vacanza.   (b) in città.   (c) in classe.
2. All'aeroporto prendono l'aereo
   (a) di New York.   (b) internazionale.   (c) dell'Alitalia.
3. L'aereo parte
   (a) dopo otto ore.   (b) alle diciannove e trenta.   (c) alle sette e mezzo.
4. L'aereo atterra
   (a) all'aeroporto.   (b) all'albergo.   (c) al binario.
5. Gli studenti vanno con il treno
   (a) alla stazione ferroviaria.   (b) a Firenze.   (c) nel centro della città.

6. A Firenze, gli alunni fotografano
   (a) i canali.   (b) la statua del Davide.   (c) il treno.
7. A Venezia non ci sono
   (a) vaporetti.   (b) canali.   (c) larghe strade.

C. **Componimento.** Write a short paragraph in which you answer the following questions:

1. Con chi vanno in vacanza i ragazzi?
2. Dove vanno?
3. Da dove partono? A che ora?
4. Dove atterra l'aereo?
5. Quali città visitano?
6. Quali monumenti vedono?
7. Quanti giorni restano (*stay*) in Italia?

D. **Domande personali:**

1. Dove vivi? In una città, una cittadina o in un paese?
2. Vivi in un appartamento o in una casa?
3. Come si chiama la strada dove vivi? A che numero abiti?
4. Ci sono monumenti dove abiti? Quali?
5. C'è una stazione ferroviaria dove abiti?
6. Prendi spesso il treno?
7. C'è un aeroporto dove vivi?
8. Viaggi spesso in aereo?
9. Hai desiderio di andare in Italia?
10. Capisci l'italiano? Capisci anche lo spagnolo?
11. A che ora è la tua lezione d'italiano?
12. A che ora finisce la lezione?

3. Lettura culturale

Come viaggiare in Italia

L'Italia non è una nazione molto grande. Viaggiare dalle Alpi
alla Sicilia è come andare da New York a Detroit (708 miglia);   **miglia** *miles*
viaggiare dal Mare Tirreno al Mare Adriatico è come andare
da Philadelphia a Washington, DC (130 miglia). Per questo

è facile andare da un posto all'altro in macchina, in treno, in autobus o in aereo.

facile *easy*

In Italia ci sono molte autostrade moderne che intrecciano la penisola da nord a sud e da est a ovest: passano sopra gli Appennini e sotto le Alpi, lungo le coste e intorno alle grandi città. Sulle autostrade italiane non c'è limite di velocità. È famosa l'Autostrada del Sole che va da Milano a Reggio Calabria e passa per Bologna, Firenze, Roma e Napoli.

autostrade *expressways*
intrecciano *crisscross*
sopra *over*

limite di velocità *speed limit*

Oggi quasi ogni famiglia italiana ha un'automobile. Numerose sono le Fiat, le Alfa Romeo e le Lancia; gli italiani ricchi viaggiano con la Ferrari. Anche le motociclette sono molto popolari, specialmente i motorini e le Vespe.

quasi *almost*

Anni fa la bicicletta era il più comune mezzo di trasporto in Italia. Oggi la bicicletta è usata per fare esercizio fisico: in estate, la domenica, gruppi di uomini e donne partono in bicicletta il mattino presto, fanno molti chilometri e ritornano a casa la sera.

fa *ago*
era *was*
fare *to do*
gruppi *groups*
uomini e donne *men and women*
presto *early*
fanno chilometri *they ride for many miles*
comune *common*
affollati *crowded*

Il mezzo di trasporto più comune per le lunghe distanze è il treno. Non costa molto viaggiare in treno; i treni sono veloci ma quasi sempre affollati. Dove non arriva il treno c'è l'autobus; gli autobus vanno dappertutto, anche nei piccoli paesi di montagna. Sono molto frequenti e abbastanza comodi.

comodi *comfortable*

Gli aerei dell'Alitalia collegano tutte le città italiane che hanno un aeroporto. Gli aeroporti internazionali sono a Roma (Fiumicino) e a Milano (Malpensa).

collegano *connect*

Grazie alle autostrade, alle ferrovie e a tutti i mezzi di trasporto, non c'è angolo della penisola che non sia accessibile.

ferrovie *railroads*
angolo *corner*
sia = è

Attività

E. Impara e parla. Answer the following questions according to the reading:

1. Che cosa è l'Italia?
2. È grande l'Italia?
3. Quanto è lunga?

4. Quanto è larga?
5. Come viaggiano gli Italiani da un posto all'altro?
6. Come sono le autostrade in Italia?
7. Dove passano?
8. Qual è il limite di velocità nelle autostrade italiane?
9. Come si chiama una famosa autostrada italiana?
10. L'Autostrada del Sole attraversa l'Italia da nord a sud o da est a ovest?
11. Quali città collega l'Autostrada del Sole?
12. Chi ha un'automobile oggi in Italia?
13. Chi viaggia con la Ferrari?
14. Chi va in bicicletta oggi in Italia?
15. Perchè vanno in bicicletta gli Italiani?
16. Come sono i treni italiani?
17. Dove vanno gli autobus?
18. Quali città italiane sono collegate dagli aerei?
19. Dove sono gli aeroporti internazionali?

F. Vero o falso? If your answer is **falso,** correct the statement:

1. L'Italia è grande come gli Stati Uniti.
2. L'Autostrada del Sole è in Sicilia.
3. Ogni famiglia italiana ha una Vespa.
4. Oggi solo gli sportivi vanno in bicicletta.
5. Costa poco viaggiare in treno.
6. Tutte le città italiane hanno un aeroporto.

G. Che cosa è? Match each word in the left column with a definition in the right column:

la Ferrari	un aeroporto
la Malpensa	un motorino
l'Alitalia	un'automobile
la Vespa	una macchina sportiva
la Fiat	una linea aerea

4. Ripasso

NOMI	AGGETTIVI	VERBI	PAROLE VARIE
l'aereo	ferroviario	atterrare	altrettanto
l'aeroporto		capire	andata e ritorno
l'autobus		conoscere	Buon anno!
la barca		decollare	Buon appetito!
il bigliettaio		finire	Buon compleanno!
il binario		portare	Buon Natale!
la macchina		prendere	Buon viaggio!
la nave		ritornare	Buona notte!
la nazione		viaggiare	Buona sera!
la pista		volare	durante
la stazione			grazie
il treno			grazie mille
la valigia			per cortesia
il viaggio			per favore
			per piacere
			Prego!
			Pronto?
			Salute!
			Scusi!
			Volentieri.

ESPRESSIONI E FRASI

prendere il treno	*to catch the train*
prendere un caffè	*to have a cup of coffee*
prendere il sole	*to sunbathe*
prendere un raffreddore	*to catch a cold*

Attività

H. Impara il vocabolario. Choose the word that does not belong in the group and tell why:

1. (a) porta   (b) finestra   (c) tetto   (d) barca
2. (a) viaggio   (b) poltrona   (c) treno   (d) volo

3. (a) campagna   (b) decollare   (c) sciare   (d) capire
4. (a) autobus   (b) motorino   (c) disco   (d) vaporetto
5. (a) notte   (b) giorno   (c) pomeriggio   (d) giornale
6. (a) scusi   (b) grazie   (c) meraviglioso   (d) mi dispiace

I. **Parla italiano.** Tell as much as you can in Italian about the pictures below:

1.   2.

3.

J. Impara il vocabolario. Choose the word that could replace the bold word:

1. Giacomo apre **la porta.**
   (a) la neve   (b) la sera   (c) la finestra   (d) la sedia
2. Noi ascoltiamo **i dischi.**
   (a) la radio   (b) la piscina   (c) il biglietto   (d) la bibita
3. Chi prende **l'autobus?**
   (a) l'ospedale   (b) la stazione   (c) il treno   (d) il binario
4. Quando parte **l'aereo?**
   (a) l'aeroporto   (b) la bicicletta   (c) il treno   (d) il binario
5. Finisci **il caffè?**
   (a) la porta   (b) il biglietto   (c) l'albero   (d) la bibita

K. Match each expression in the left column with an expression in the right column:

1. Che ore sono?   a. Prego.
2. Oggi ho venti anni.   b. Volentieri.
3. Come vai alla spiaggia?   c. Buona notte.
4. Pronto? Con chi parlo?   d. Mi dispiace.
5. A che ora arriva il treno?   e. Auguri! Buon compleanno!
6. Che cosa prendi per andare in   f. Alle venti.
   Italia?   g. Con Giuliana.
7. Prendi il sole con me?   h. L'aereo.
8. Non sto bene.   i. A piedi.
9. Grazie mille.   j. Le due e mezzo.
10. Sono stanco. Vado a dormire.

L. Complete each sentence by choosing one of the verbs listed below:

arrivare	prendere	comprare	decollare
finire	capire	suonare	viaggiare
ballare	ritornare		

1. Io non _____ il francese.
2. Loro _____ a casa.
3. Giorgio _____ il violino.
4. I ragazzi _____ nel caffè.
5. L'aereo _____ alle diciassette.
6. Loro non _____ mai il compito.

7. A Venezia i turisti _____ il vaporetto.
8. Io _____ sempre in prima classe.
9. Voi _____ un biglietto di prima classe.
10. Il treno da Roma _____ al binario numero tre.

5. Controllo della lingua

M. Talking about your house. Describe your house:

1. What color is it?
2. How many rooms does it have?
3. How many windows and doors?
4. Name the rooms and the objects that are in the rooms.

N. Talking about means of transportation. Say in Italian that you

1. walk to school.
2. go to Italy by plane.
3. go to work by bicycle.

4. go to the movies by car.
5. go on vacation by motorcycle.

O. Asking for permission. How do you ask if

1. you could go to the movies.
2. you could open the window.
3. you could telephone your friend.

4. you could eat the cake.
5. you could play the guitar.

P. Asking for a favor. What do you say if you want to ask a friend to

1. open the window.
2. buy a pizza.
3. write a letter.

4. take a picture.
5. prepare a sandwich.

Q. At the railway station. Do you know how to ask for

1. a round-trip ticket?
2. from which track your train leaves?
3. at what time the train leaves?

R. Asking questions for information. How do you say in Italian?

1. Where do the boys and the girls go?
2. What does John drink?
3. What do you buy in the store?
4. What are they listening to?
5. Are there trees in the mountains?
6. Who dances? Who skis? Who sings?
7. Who leaves for Italy?
8. Where does the plane take off?
9. Where does it land?
10. Where do I buy a train ticket?
11. Do you understand Italian?
12. At what time does school finish?

S. Saying what time it is. **Che ora è? Che ore sono?**

1.   2.   3.   4.   5.

T. Starting a phone conversation. Pair yourself with a classmate and conduct a phone conversation.

Vocabolario

This vocabulary is intended to be complete except for obvious nonactive cognates. The number following an entry indicates the chapter in which the word first occurs.

A

a (1) to, at, in
abbastanza (7) enough, rather
abitante (l', gli) (3) inhabitant
abitare (3) to live
acqua (l') (6) water
aereo (l', gli) (8) airplane
aeroporto (l', gli) (8) airport
affine (1) similar; **parola affine (la, le)** (1) cognate
affollato (8) crowded
aggettivo (l', gli) (1) adjective
agosto (2) August
albergo (l', gli) (7) hotel
albero (l', gli) (6) tree
alfabeto (l') (1) alphabet
alcuni (7) some
allegro (6) cheerful, happy
allora (6) then
alto (1) tall, high
altrettanto (8) the same to you
altro (3) other
alunna (l', le) (2) student
alunno (l', gli) (2) student
americano (1) American
amica (l', le) (2) friend
amico (l', gli) (2) friend
anche (1) also
ancora (2) yet, still
andare (3) to go
andata e ritorno (8) round-trip
angolo (l', gli) (8) corner
anno (l', gli) (2) year; **avere ... anni** (6) to be ... years old
antico (3) old, ancient
appartamento (l', gli) (7) apartment
appello (l') (1) roll call
appetito (l') (8) appetite
aprile (2) April
aprire (4) to open
arancia (l', le) (3) orange
arancione (3) orange
aritmetica (l') (6) arithmetic
arrivare (7) to arrive
arrivederci (1) so long, good-bye

arrivo (l', gli) (8) arrival
arte (l', le) (7) art
articolo (l', gli) (2) article
artistico (6) artistic
ascoltare (7) to listen
aspirina (l', le) (5) aspirin
assente (1) absent
atletico (6) athletic
atterrare (8) to land
attività (l', le) (1) activity, exercise
attivo (2) active
attraente (7) attractive
attraversare (3) to cross, to pass through
augurare (6) to wish
augurio (l', gli) (6) good wish
Austria (l') (3) Austria
austriaco (3) Austrian
autobus (l', gli) (8) bus
automobile (l', le) (5) car
autoritratto (l', gli) (2) self-portrait
autostrada (l', le) (8) expressway
autunno (l', gli) (4) autumn
avanti (1) forward
avere (5) to have
azzurro (3) light blue

B

babbo (il, i) (4) daddy; **Babbo Natale** (4) Santa Claus
bacio (il, i) (5) kiss
bagno (il, i) (7) bathroom
ballare (7) to dance
banana (la, le) (3) banana
banca (la, le) (7) bank
banco (il, i) (5) desk
bandiera (la, le) (3) flag
barca (la, le) (8) boat
basilica (la, le) (3) large church
basso (1) short (*height*)
basta! (1) enough!
battistero (il, i) (3) baptistry
bello (1) handsome, beautiful
bene (5) well; **va bene** (2) OK

benvenuto (1) welcome

bere (7) to drink; **beve** he drinks, **bevono** they drink

Berlino (3) Berlin

bianco (3) white

bibita (la, le) (7) soft drink

bicicletta (la, le) (5) bicycle

bigliettaio (il, i) (8) ticket agent

biglietto (il, i) (8) ticket

binario (il, i) (8) track

biondo (6) blond, fair

blu (3) blue

blusa (la, le) (6) blouse

bocca (la, le) (5) mouth

bollettino (il, i) (4) bulletin

bottega (la, le) (7) store

bravo (4) good

bruno (6) brown, dark haired

brutto (1) ugly

buono (6) good

C

caffè (il, i) (7) coffee, (Italian) bar

caldo (4) hot, warm; **avere caldo** (5) to be hot; **fa caldo** (4) it's hot

calendario (il, i) (5) calendar

camera (la, le) (4) (bed)room

camicia (la, le) (6) shirt

campagna (la) (7) countryside

canale (il, i) (8) canal

candela (la, le) (6) candle

cantare (7) to sing

canzone (la, le) (8) song

capire (8) to understand

capitale (la, le) (3) capital

capitolo (il, i) (1) chapter

Capodanno (il) New Year's Day

capoluogo (il, i) (1) provincial capital

caratteristica (la, le) (2) trait

carne (la) (3) meat

carta (la, le) (5) paper; **carta geografica (la, le)** (5) map

casa (la, le) (2) house

cassa (la, le) (3) cash register

castello (il, i) (4) castle

catena (la, le) (2) chain

cattedra (la, le) (5) desk

cattedrale (la, le) (1) cathedral

cattivo (4) bad

centigrado (il/i) (4) centigrade

cento (6) one hundred

centrale (4) central

centro (il, i) (3) center

ceppo (il, i) (4) (Christmas) log

certo (3, 5) certainly, of course

cestino (il, i) (5) wastebasket

che, che cosa (3) what, that, which

chi (1) who, whom

chiamare (2) to call

chiamarsi (3) to be called, to be named

chiedere (2) to ask

chiesa (la, le) (4) church

chitarra (la, le) (7) guitar

chiudere (1) to close

ciao (1) hello, hi

cibo (il, i) (3) food

cielo (il, i) (3) sky

cimosa (la, le) (5) blackboard eraser

cinema (il, i) (4) movie theater

cinquanta (6) fifty

cinque (2) five

circondato (1) surrounded

città (la, le) (3) city

cittadina (la, le) (7) small city

classe (la, le) (1) class

cognome (il, i) (3) last name

collegare (8) to connect

colore (il, i) (3) color

come (1) how; (4) like

cominciare (1) to begin

commerciale (4) commercial

comodo (8) comfortable

compito (il, i) (2) homework

compleanno (il, i) (2) birthday; **Buon compleanno!** Happy Birthday!

completare (4) to complete

componimento (il, i) (1) composition

comprare (3) to buy

con (2) with
concordanza (la) (6) agreement
confinare (1) to border
conoscere (8) to know
consonante (la, le) (7) consonant
contrario (6) opposite
controllo (il, i) (2) checkpoint
correre (5) to run
corso (il, i) (8) street
cortesia (la, le) (8) courtesy; **per cortesia** (8) please
cosa (la, le) (1) thing; **cosa vuol dire?** (1) what does it mean?
così (1) thus, so
costa (la, le) (7) coast
costare (7) to cost
costume da bagno (il, i) (7) bathing suit
cucina (la, le) (3) kitchen; **cucina economica** (7) stove
cugina (la, le) (6) cousin
cugino (il, i) (6) cousin
culturale (1) cultural

D

da (1) from
data (la, le) (2) date
davanti (4) in front of
decollare (8) to take off
definito (7) defined
delizioso (4) delicious
dente (il, i) (5) tooth; **mal (il) di denti** toothache
deserto (il, i) (5) desert
di (1) of; **di nuovo** (1) again
dialogo (il, i) (1) dialog
dicembre (2) December
diciannove (2) nineteen
diciassette (2) seventeen
diciotto (2) eighteen
dieci (2) ten
diligente (5) diligent
dire (1) to say
disco (il, i) (6) record
dispiacere: mi dispiace (5) I am sorry

distanza (la, le) (8) distance
divano (il, i) (7) sofa
divertirsi (7) to enjoy oneself
diviso (6) divided by
dizionario (il, i) (5) dictionary
dodici (2) twelve
dolce (6) sweet
domanda (la, le) (1) question
domani (2) tomorrow
domenica (la, le) (2) Sunday
donna (la, le) (8) woman
dopo (2) after
dormire (4) to sleep
dottore (il, i) (5) doctor
dove (3) where
dramma (il, i) (8) drama
due (2) two
duomo (il, i) (6) cathedral
durante (6) during

E

e (1) and
ecco (7) here it is
elementare (4) elementary
energico (6) energetic
entrare (8) to enter
erba (l', le) (3) grass
eroe (l', gli) (6) hero
esaminare (5) to examine
esempio (l', gli) (1) example, model
esplorare (4) to explore
espressione (l', le) (1) expression
essere (1) to be
est (1) east
estate (l', le) (4) summer

F

fabbrica (la, le) (7) factory
facile (8) easy
falso (2) false

fame (la) (5) hunger; avere fame (5) to be hungry

famiglia (la, le) (2) family

famoso (4) famous

fantastico (6) fantastic

fare (1) to do, to make; fare l'appello (1) to call the roll; fare la somma (6) to add

favore (il, i) (8) favor; per favore (8) please

febbre (la) (5) fever

ferrovia (la, le) (8) railroad

ferroviario (8) railroad

fertile (5) fertile

festa (la, le) (4) feast, party

figlia (la, le) (6) daughter

figlio (il, i) (6) son

film (il, i) (7) movie

finalmente (6) finally

finestra (la, le) (5) window

finire (8) to end, to finish

finito (8) finished

fiore (il, i) (2) flower

fiume (il, i) (2) river

foglia (la, le) (4) leaf

foglio (il, i) (5) sheet of paper

fontana (la, le) (6) fountain

forse (5) perhaps

forte (5) strong

francese (3) French

Francia (la) (3) France

frase (la, le) (1) sentence

fratello (il, i) (6) brother

freddo (4) cold; fare freddo (4) to be cold (weather); avere freddo (4) to be (feel) cold

frequentemente (3) frequently

frequente (8) frequent

fresco (4) cool; fare fresco (4) to be cool (weather)

frigorifero (il, i) (7) refrigerator

funzionare (7) to function

G

gemello (6) twin

generoso (6) generous

gennaio (2) January

geografia (la) (2) geography

Germania (la) (3) Germany

gesso (il) (5) chalk

gettare (6) to throw

giallo (3) yellow

giardino (il, i) (3) garden

giornale (il, i) (4) newspaper

giorno (il, i) (1) day; buon giorno (1) good morning

giovane (6) young

giovedì (il, i) (2) Thursday

giugno (2) June

gola (la, le) (5) throat; mal (il) di gola sore throat

gomma (la, le) (5) eraser

gotico (6) gothic

grado (il, i) (4) degree

grammatica (la) (1) grammar

grande (1) large, big

grasso (6) fat

grazie (1) thank you; grazie mille (8) thanks a lot; grazie, altrettanto (8) thanks, and the same to you

gruppo (il, i) (7) group

guardare (2) to look at, to watch

H

hotel (l', gli) (7) hotel

I

idea (l', le) (6) idea

ieri (2) yesterday

il (1) the

imitare (1) to imitate

imparare (1) to learn

impuro (7) impure

in (2) in

inaccessibile (8) inaccessible

incantevole (5) enchanting

includere (1) to include

indipendente (3) independent

indirizzo (l', gli) (8) address
influenza (l') (3) flu
Inghilterra (l') (3) England
inglese (3) English; **l'inglese** English (language)
ingresso (l', gli) (3) entrance
insalata (l', le) (4) salad
insieme (1) together
intelligente (6) intelligent
interessante (6) interesting
intermezzo (l', gli) (1) interval
interno (3) interior
intorno (8) around
intrecciare (8) to crisscross
inverno (l', gli) (4) winter
io (1) I
isola (l', le) (1) island
Italia (l') (1) Italy
italiano (1) Italian; **l'italiano** (1) Italian (language)
Iugoslavia (la) (3) Yugoslavia
iugoslavo (3) Yugoslavian

L

la (1) the
lago (il, i) (2) lake
lampada (la, le) (7) lamp
latte (il) (3) milk
latteria (la, le) (4) dairy
lavagna (la, le) (5) (black)board
lavandino (il, i) (7) sink
lavorare (8) to work
lavoro (il, i) (8) work, job
leggere (1) to read
lei (1) she
lettera (la, le) (4) letter
letto (il, i) (4) bed
lettura (la, le) (1) reading
lezione (la, le) (1) lesson
libro (il, i) (4) book
limite (il, i) (8) limit
lingua (la, le) (2) language
Londra (3) London
lontano (8) far
luglio (2) July

lui (1) he
lunedì (il, i) (2) Monday
lungo (8) long; along
luogo (il, i) (3) place

M

ma (5) but
macchina (la, le) (8) car; **macchina fotografica** (5) camera
macelleria (la, le) (3) butcher shop
madre (la, le) (4) mother
magro (6) thin
maggio (2) May
maggiore (2) major
maiuscolo (1) capital letter
mal (il) (5) ache
malato (5) sick
male (5) bad; **stare male** (5) to feel sick
mamma (la, le) (2) mom
mangiare (4) to eat
mare (il, i) (1) sea
marrone (3) brown
martedì (il, i) (2) Tuesday
massimo (4) maximum
materno (6) maternal
matita (la, le) (5) pencil
mattino (il, i) (7) morning
mela (la, le) (3) apple
meno (6) minus; (7) less
mentre (4) while
meraviglioso (7) marvelous, wonderful
mercato (il, i) (3) market
mercoledì (il, i) (2) Wednesday
mese (il, i) (2) month
messa (la, le) (7) Mass
meteorologico: bollettino meteorologico (il, i) (4) weather bulletin
metropolitana (la, le) (8) subway
mettere (5) to put
mezzanotte (la, le) (7) midnight
mezzo (il, i) (8) means; **mezzo di trasporto** (8) means of transportation
mezzo (2) half

mezzogiorno (il, i) (7) noon
mia (4) my, mine
miglio (il, *pl* le miglia) (8) mile
milione (il, i) (3) million
minimo (4) minimum
minuscolo (1) small letter
mio (4) my, mine
miracolo (il, i) (4) miracle
misura (la, le) (7) measure
modello (il, i) (1) model
moderno (5) modern
molto (1) very, a lot
montagna (la, le) (5) mountain
monte (il, i) (2) mountain
monumento (il, i) (3) monument
motocicletta (la, le) (5) motorcycle
motorino (il, i) (8) motorscooter
mutevole (2) fickle, changeable

N

nascita (la, le) (3) birth
Natale (il) (4) Christmas; Buon Natale! Merry
    Christmas!
nato (3) born
nave (la, le) (8) ship
navigare (4) to sail
nazionalità (la, le) (3) nationality
nazione (la, le) (8) nation
negozio (il, i) (7) store
nero (3) black
neve (la, le) (7) snow
nevicare (4) to snow
no (1) no
nome (il, i) (3) name
non (1) not
nonna (la, le) (6) grandmother
nonno (il, i) (6) grandfather
nord (2) north
notare (1) to note
notte (la, le) (7) night; buona notte (8) good
    night
novanta (6) ninety

nove (2) nine
novembre (2) November
numero (il, i) (2) number
numeroso (3) numerous
nuotare (7) to swim
nuovo (2) new; di nuovo (1) again
nuvoloso (4) cloudy

O

oceano (l', gli) (3) ocean
oggi (2) today
ogni (6) each
onomastico (l', gli) (2) name day
onorare (6) to honor
onore (l', gli) (6) honor
opera (l', le) (6) work
operazione (l', le) (6) operation
oppure (8) or
ora (4) now
ora (l', le) (7) hour; Che ora è? Che ore sono?
    (7) What time is it?
orario (l', gli) (7) schedule
orecchio (l', gli) (5) ear; mal (il) di orecchi ear
    ache
orologio (l', gli) (5) watch, clock
orto (l', gli) (4) vegetable garden
ospedale (l', gli) (4) hospital
ottanta (6) eighty
otto (2) eight
ottobre (l', gli) (2) October
ovest (1) west

P

padre (il, i) (4) father
paese (il, i) (4) village
pagare (3) to pay
pagina (la, le) (1) page
palazzo (il, i) (6) building
panorama (il, i) (1) view
papà (il, i) (1) daddy

Papa **(il, i)** (3) Pope
parco **(il, i)** (5) park
parete **(la, le)** (5) wall
Parigi (3) Paris
parlare (2) to speak
parola **(la, le)** (1) word
parte **(la, le)** (5) part
partenza **(la, le)** (8) departure
partire (8) to leave
Pasqua **(la)** (8) Easter
passare (5) to pass, to spend
passatempo **(il, i)** (2) pastime, hobby
patata **(la, le)** (4) potato
paura **(la, le)** (5) fear; **avere paura** (5) to be
    afraid
paziente (6) patient
pendente (6) leaning
penisola **(la, le)** (1) peninsula
penna **(la, le)** (5) pen
per (4) for, in order to; (6) times
perchè (4) why, because
però (3) however, but
persona **(la, le)** (3) person
personale (1) personal
pezzo **(il, i)** (5) piece
piano **(il, i)** (7) floor, story
piano (4) slowly
pianterreno (7) ground floor
piacere **(il, i)** (8) favor; **per piacere** please
pianta **(la, le)** (3) the map
pianura **(la, le)** (5) plain
piazza **(la, le)** (4) square
piccolo (4) small
piede **(il, i)** (8) foot; **a piedi** on foot
piovere (4) to rain
piscina **(la, le)** (7) pool
pista **(la, le)** (8) runway
pittoresco (5) picturesque
più (2) more, (6) plus
plurale (5) plural
poi (5) then, afterwards
poltrona **(la, le)** (7) easy chair
pomeriggio **(il, i)** (7) afternoon
ponte **(il, i)** (6) bridge
popolare (8) popular

porta **(la, le)** (5) door
portare (4) to carry, to bring
porto **(il, i)** (4) port
posto **(il, i)** (3) place
povero (5) poor
pranzo **(il, i)** (4) lunch
pratica **(la, le)** (1) practice
prato **(il, i)** (5) meadow
prego (8) you are welcome
prendere (8) to take
preparare (3) to prepare
presente (1) present
presepio **(il, i)** (4) Nativity scene, crèche
presto (8) early, quickly
prima **(di)** (2) before
primavera **(la, le)** (4) spring
primo (1) first
principale (2) principal, main
professore **(il, i)** (1) professor
professoressa **(la, le)** (1) professor
pronome **(il, i)** (1) pronoun
pronto? (2) hello?
pronuncia **(la)** (1) pronunciation
prossimo (6) next
proveniente (8) coming from
proverbio **(il, i)** (3) proverb
pubblico (4) public; **(il)** (4) public

Q

quaderno **(il, i)** (5) notebook
qualche some; **qualche volta** (2) sometimes
qual, quale (2) what, which
quando (5) when
quanti (3) how many
quanto (4) how much
quaranta (7) forty
quarto (4) fourth, (7) quarter
quasi (8) almost
quattordici (2) fourteen
quattro (2) four
questa (7) this
questo (4) this; **per questo** (4) for this reason
quindici (2) fifteen

R

raffreddore (il, i) (5) cold
ragazza (la, le) (1) girl
ragazzo (il, i) (1) boy
rammentare (1) to remember
regione (la, le) (5) region
regalo (il, i) (6) gift
regola (la, le) (1) rule
ricco (6) rich
ricevere (4) to receive
ricordare (6) to remember
rilassarsi (7) to relax
ripasso (il, i) (1) review
ripetere (1) to repeat
rispondere (1) to answer
ritardo (il, i) (8) delay; **in ritardo** (8) late
ritornare (6) to return
ritorno (il, i) (6) return
romantico (6) romantic
rosa (3) pink
rosso (3) red

S

sabato (il, i) (2) Saturday
sala da pranzo (la, le) (4) dining room
salotto (il, i) (2) living room
salutare (1) to greet
salute (la) (8) health; **Salute!** (8) Bless you!
saluto (il, i) (1) greeting
schiena (la, le) (5) back; **mal (il) di schiena**
    back ache
sci (lo, gli) (7) ski
sciare (7) to ski
scrivania (la, le) (7) desk
scrivere (4) to write
scuola (la, le) (2) school
scusare (8) to excuse; **Scusi!** Excuse me!
sedia (la, le) (5) chair
sedici (2) sixteen
sei (2) six
sempre (5) always
sentire (4) to hear, to feel

senza (7) without
sera (la, le) (2) evening; **buona sera** (8) good
    evening
sereno (4) serene, fair, clear
servizio (il, i) (2) service; **servizio telefonico** (2)
    telephone service
sessanta (6) sixty
sete (la) (5) thirst; **avere sete** (5) to be thirsty
settanta (6) seventy
sette (2) seven
settembre (il, i) (2) September
sigla (la, le) (1) abbreviation
signora (la, le) (1) lady, Mrs.
signor(e) (il, i) (1) sir, Mr.
signorina (la, le) (1) young lady, Miss
simpatico (1) charming, nice
sincero (6) sincere
singolare (1) singular
sognare (7) to dream
sole (il, i) (3) sun; **prendere il sole** (8) to sunbathe
solo (4) only
soltanto (7) only
sonno (il, i) (5) sleep; **avere sonno** (5) to be
    sleepy
sorella (la, le) (6) sister
sopra (4) above
sotto (4) below
Spagna (la) (3) Spain
spagnolo (3) Spanish; **lo spagnolo** Spanish
    (language)
specialmente (8) especially
specchio (lo, gli) (7) mirror
spesso (3) often
spiaggia (la, le) (7) beach
stagione (la, le) (4) season
stanco (6) tired
stare (5) to be, to stay, to feel
starnutire (8) to sneeze
stasera (7) this evening
stato (lo, gli) (3) state
statua (la, le) (6) statue
stazione (la, le) (4) station
stella (la, le) (4) star
stesso (7) same
stomaco (lo, gli) (5) stomach

strada (la, le) (5) road
struttura (la, le) (1) structure
studente (lo, gli) (1) student
studiare (2) to study
stufa (la, le) (7) stove
sua (4) her
sud (1) south
suonare (4) to ring; to play an instrument
supermercato (il, i) (3) supermarket
sveglia (la, le) (4) alarm clock
Svizzera (la) (3) Switzerland
svizzero (3) Swiss

T

tanti (6) many
tappeto (il, i) (7) carpet
tavola (la, le) (4) table
tedesco (3) German
telefono (il, i) (2) telephone
televisione (la, le) (2) television
temperatura (la, le) (4) temperature
tempo (il) (4) weather; **che tempo fa?** how is the weather?
terzo (3) third
testa (la, le) (5) head; **mal (il) di testa** headache
tetto (il, i) (7) roof
timido (6) timid, shy
tipico (6) typical
torta (la, le) (4) cake
tra (8) between
tradizionale (3) traditional
tramezzino (il, i) (3) sandwich
trasporto (il, i) (8) transportation
tre (2) three
tredici (2) thirteen
treno (il, i) (8) train
tremila (4) three thousand
trenta (2) thirty
triangolo (il, i) (5) triangle
triste (6) sad
tu (1) you
tua (6) your, yours
tuo (1) your, yours

turista (il, i) (5) tourist
tutti (4) everyone; **tutti insieme** (1) all together
tutto (4) all, everything

U

ufficio (l', gli) (5) office; **ufficio postale** (5) post office
un (1) a, an
una (1) a, an
undici (2) eleven
uno (1) a, an; (2) one
uscita (l', le) (8) gate, exit

V

vacanza (la, le) (5) vacation
valigia (la, le) (8) suitcase
valido (8) valid
vecchio (6) old
vedere (6) to see
veloce (8) fast
velocità (la, le) (8) speed
vendere (4) to sell
venerdì (il, i) (2) Friday
venti (2) twenty
vento (il, i) (4) wind; **tira vento** it's windy
veramente (8) truly
verbo (il, i) (1) verb
verde (3) green
verdura (la, le) (4) vegetable(s)
vero (1) true
via (la, le) (8) street
viaggiare (8) to travel
viaggio (il, i) (8) trip
viale (il, i) (8) boulevard
vicino (4) near
vignetta (la, le) (1) vignette, sketch
villa (la, le) (7) villa
vino (il, i) (4) wine
vivere (4) to live
vivo (4) alive
vocale (la, le) (1) vowel

voce (la, le) (1) voice; **ad alta voce** (1) aloud,
     loudly
volare (8) to fly
volentieri (5) gladly
volo (il, i) (8) flight
volta: a volte (7) sometimes
vulcano (il, i) (2) volcano

Z

zero (2) zero
zio (lo, gli) (6) uncle
zona (la, le) (7) zone
zucchero (lo, gli) (7) sugar

Indice